Peter Otto · Klaus Ewe

Atlas der Rectoskopie und Coloskopie

Zweite, neubearbeitete Auflage

Mit 124 vierfarbigen Abbildungen in 21 Tafeln
und 31 Textabbildungen

Springer-Verlag
Berlin Heidelberg New York 1977

Prof. Dr. P. Otto
Medizinische Abteilung, Kreiskrankenhaus
3006 Großburgwedel/Hannover

Prof. Dr. K. Ewe
I. Med. Klinik und Poliklinik der Universität Mainz,
6500 Mainz, Langenbeckstraße 1

Das Umschlagbild zeigt die Teilabbildungen 1–4 der Tafel XIII, Seite 87

ISBN 3-540-08317-0 2. Auflage Springer-Verlag Berlin Heidelberg New York
ISBN 0-387-08317-0 2nd edition Springer-Verlag New York Heidelberg Berlin

ISBN 3-540-07489-9 1. Auflage Springer-Verlag Berlin Heidelberg New York
ISBN 0-387-07489-9 1st edition Springer-Verlag New York Heidelberg Berlin

Library of Congress Cataloging in Publication Data. Otto, Peter. Atlas der Rectoskopie und Coloskopie. Includes index. 1. Proctosigmoidoscopy-Atlases. I. Ewe, Klaus, 1931– joint author. II. Title. RC864.5.087 1977 616.3'5'0754 77-2809

Printed in Germany

Reproduktion der Abbildungen: G. Dreher, Württemb. Graphische Kunstanstalt GmbH, Stuttgart.

Satz, Druck und Bindearbeiten: Universitätsdruckerei H. Stürtz AG, Würzburg.
2121/3130-54321

Geleitwort

Die Bedeutung des morphologischen — makroskopischen wie mikroskopischen — Befundes für die Diagnostik ist trotz immer subtilerer Funktionsprüfungen, sowie verbesserter chemischer und immunologischer Untersuchungsmethoden keineswegs geringer geworden, man hat eher den gegenteiligen Eindruck: daß dieser Zweig der Diagnostik heute wieder eine Renaissance erlebt. Das ist wohl in erster Linie die Folge des raschen technischen Fortschrittes nach dem 2. Weltkrieg. Vor allem die Entwicklung von flexiblen faseroptischen Endoskopen mit Kaltlichtquellen, sowie verbesserten Geräten zur Entnahme von Gewebsproben hat in der gastroenterologischen Diagnostik die endoskopischen Untersuchungsverfahren immer mehr in den Vordergrund gerückt.
Die *Rectoskopie* — heute ergänzt und erweitert durch die Coloskopie — ist eine der ältesten, aber nach wie vor der wichtigsten endoskopischen Untersuchungsmethoden, die keineswegs der Klinik vorbehalten ist, sondern — mit Ausnahme der hohen Coloskopie — in jeder internistischen und auch in manchen Allgemeinpraxen durchgeführt werden kann. Sorgfältige Vorbereitung des Patienten vorausgesetzt, liefert sie, vor allem in Verbindung mit der histologischen Untersuchung dabei entnommener Gewebsproben eindeutige Ergebnisse, die ebenso wie bei anderen bioptischen Untersuchungsmethoden in der überwiegenden Mehrzahl der Fälle die Ursache von Beschwerden oder objektiven Krankheitszeichen zu klären vermögen.
Es ist deshalb zu begrüßen, daß die Autoren es unternommen haben, Technik und Ergebnisse der Rectoskopie und Coloskopie in Form eines Atlasses zusammenzustellen. Das entspricht der großen Bedeutung, die den Erkrankungen des Enddarmes in Praxis und Klinik zukommt. Die Autoren konnten dabei ihre große persönliche Erfahrung in das Werk einbringen, so daß einwandfreie Darstellung der Technik sowie sachkundige und kritische Interpretation der Befunde gewährleistet sind.
So wird dieses Werk jedem Arzt, der Rectoskopie und Coloskopie erlernen möchte, ein wertvoller Ratgeber sein. Aber auch für den, der diese Methoden bereits beherrscht und regelmäßig anwendet, kann manche Anregung und Bereicherung aus seinem Studium erwachsen. Nachdem in den letzten Jahren Gastroskopie und Laparoskopie in zahlreichen Monographien und Atlanten ihre Darstellung gefunden haben, füllt dieser Atlas eine Lücke im gastroenterologischen Schrifttum.

Prof. Dr. H.A. Kühn

Vorwort zur zweiten Auflage

Das rege Interesse, das der Atlas der Rectoskopie und Coloskopie gefunden hat, zeigt, daß didaktische Hilfen zum Erlernen der praktisch so wichtigen Rectoskopie fehlten.
Innerhalb eines knappen Jahres seit ihrem Erscheinen ist die erste Auflage vergriffen.
Während dieser 12 Monate haben sich für die Neuauflage wesentlich neue Gesichtspunkte ergeben. Die steigende Häufigkeit colorectaler Carcinome hat zur Einführung des Testes auf okkultes Blut im Stuhl in die gesetzliche Vorsorgeuntersuchung zum 1. 1. 1977 geführt. Bei positivem Testausfall ist neben der digitalen Tastuntersuchung jetzt die Rectoskopie als diagnostische Erstmaßnahme zusätzlich durchzuführen. Damit sollte dieses Verfahren noch weitere Verbreitung auch in der Allgemeinpraxis finden.
Gleichzeitig in die genannte Entwicklung fiel die Einführung leicht zu handhabender flexibler Glasfaser-Kurzsigmoidoskope, die auch den relativ Ungeübten eine Untersuchung des Colons bis zur linken Flexur und eine Polypektomie unter ambulanten Bedingungen innerhalb kürzester Zeit ermöglichen. Da fast 90% aller Polypen und Carcinome des Colons im Bereich vom Anus bis zur linken Flexur lokalisiert sind, könnte so eine effektive Prophylaxe und Früherkennung colo-rectaler Carcinome möglich sein.
Die technischen Details dieser Geräte werden vorgestellt. Ferner wurden dank des großzügigen Entgegenkommens des Springer-Verlags in einigen Bildtafeln der besseren Didaktik wegen Änderungen und Ergänzungen durchgeführt.
Neu aufgenommen wurden Abbildungen über die Pneumatosis cystoides, die wir Herrn Dr. H. Schalk, Krankenhaus Hochstift Worms, verdanken. Herr Dr. A. Neiger, Bern überließ uns dankenswerterweise Abbildungen eines solitären Rectumulcus bei Proktitis terminalis simplex. Herr Prof. Dr. P. Deyhle, Zürich, stellte das coloskopische Bild einer ischämischen Colitis zur Verfügung.
Kritik und Anregungen fanden bei den Text- und Bildabänderungen zur zweiten Auflage Berücksichtigung. Für diese Hilfe sagen wir den mitgestaltenden Kollegen herzlichen Dank.

Sommer 1977 P. Otto K. Ewe

Vorwort zur ersten Auflage

Die Rectoskopie ist die weitestverbreitete endoskopische Untersuchung. Sie wird von den Vertretern der verschiedensten Fachdisziplinen ausgeübt: Internisten, Chirurgen, Dermatologen, Urologen, Gynäkologen, Pädiatern und Ärzten für Allgemeinmedizin.
Die meisten Kollegen sind darauf angewiesen, sich die Methodik und die Kenntnisse der Rectoskopie vorwiegend autodidaktisch anzueignen und Befunde ohne Möglichkeit zur Konsultation zu deuten. An diesen großen Kollegenkreis wendet sich der vorliegende Atlas der Rectoskopie und Coloskopie.
Da die Rectoskopie nicht als isolierte Untersuchung vorgenommen werden sollte, sondern proktologische Anamnese, Inspektion der Analregion und digitale Tastuntersuchung umfaßt, wurden diese Punkte mit berücksichtigt.
Andererseits ist die Untersuchung der hohen Dickdarmabschnitte mit flexiblen Fiberskopen bereits so verbreitet, daß ein Kapitel über die Coloskopie mit aufgenommen wurde.
Bis vor kurzem gab es kein modernes deutschsprachiges Werk über die Proktologie. Inzwischen liegen eine von großer persönlicher Erfahrung getragene „Proktologische Sprechstunde“ von ROSCHKE und der ausgezeichnete, übersichtliche, kurzgefaßte „Atlas der praktischen Proktologie“ von NEIGER vor. Beide befassen sich schwerpunktsmäßig mit der Proktologie, während der umfassende „Farbatlas der Endoskopie und Biopsie des Darmes“ von BECK *et al.* weitgehend auf proktologische sowie technische Details verzichtet.
Die Autoren hoffen, daß der vorliegende Atlas eine praktische Hilfe allen denen bietet, die auf sich selbst gestellt, das Rectum endoskopisch zu erobern beginnen und die beim sporadischen Rectoskopieren und bei begrenzten Erfahrungen auf Befunde stoßen, deren Deutung Schwierigkeiten bereitet. Die Erinnerung der Autoren an diese Situation war der Anlaß, diesen Atlas zusammenzustellen.
Viele Kollegen haben uns zur Arbeit an diesem Atlas inspiriert. Ihnen allen sei Dank. Besonderen Dank sagen möchten wir jedoch Frau A. WERNER und Frau W. OPEL für die Hilfe bei der Illustration sowie Herrn Oberarzt Dr. K.A. SCHULZ, Hautklinik Linden/Hannover, für die Überlassung der Abbildungen des Perianalekzems und der breiten Condylome. Das Schreiben des Manuskripts hat freundlicherweise Frau B. KIRCHNIAWY in ihrer Freizeit übernommen. Frau TH. DEIGMÖLLER und den Herren K. MÜNSTER und Prof. Dr. W. GEINITZ vom Springer-Verlag danken wir für Rat und Hilfe bei der Drucklegung dieses Buches.

P. OTTO K. EWE

Inhaltsverzeichnis

1. Einleitung

Der Aufbau des ersten Teils folgt dem praktischen Vorgehen bei der Rectoskopie und umfaßt die Indikationsstellung für die proktologische Untersuchung und Endoskopie, das Ergebnis der proktologischen Anamnese und ihre Dokumentation. Die Vorbereitung zur Untersuchung schließt die Darmentleerung und die Lagerung des Patienten ein; der Endoskopie voraus geht die Inspektion der Analregion und die digitale Tastuntersuchung.

Das Instrumentarium für die Rectoskopie ist einfach, die Grundausrüstung wenig aufwendig. Die auf dem Markt befindlichen Instrumente unterscheiden sich oft nur in unwesentlichen Details. Es werden daher im Text in der Regel nur die Prototypen besprochen, Einzelheiten können aus den Katalogen der entsprechenden Firmen entnommen werden.

Der einführende Teil wird mit der Beschreibung der rectoskopischen und coloskopischen Untersuchungstechnik abgeschlossen.

Der Atlasteil gliedert sich einmal nach topographischen Gesichtspunkten in die Erkrankungen der äußeren Analregion, des Anus und der höheren Dickdarmabschnitte, zum anderen nach morphologischen Kriterien, wie z.B. entzündliche Darmerkrankungen, Tumoren usw.

Da viele pathologische Befunde im Rectum und Sigma denen im übrigen Colon gleichen, wurde auf eine doppelte Darstellung rectoskopischer und coloskopischer Abbildungen verzichtet.

2. Indikation zur proktologischen Untersuchung und Endoskopie

Anamnestische Hinweise auf Mißempfindungen im Analbereich, peranale Blutungen, Änderung der Defäkationsgewohnheiten – vor allem plötzlich auftretende Obstipationen oder Diarrhoen oder der Wechsel beider Symptome – sowie Klagen über Tenesmen müssen eine proktologische Untersuchung nach sich ziehen und nicht durch die Verordnung von „*Hämorrhoiden-Zäpfchen*", Spasmolytica, Analgetica oder gar Laxantien übergangen werden.

In der Praxis wird die Durchführung einer an sich immer anzustrebenden kompletten *proktologischen Untersuchung (Inspektion, digital-rectale Austastung, Proktoskopie, Rectoskopie)* wegen des Mißverhältnisses zwischen Vielzahl proktologisch Kranker und proktologisch tätiger Ärzte nicht möglich sein. In der Auswahl unbedingt anzuwendender Untersuchungsmethoden muß deshalb nach einem Kompromiß gesucht werden.

Inspektion,
digital-rectale Tastuntersuchung

Mit *Inspektion* und *digital-rectaler Tastuntersuchung* kann man sich begnügen bei:

1. Vorsorgeuntersuchungen ohne Beschwerdeangaben und negativem Test auf okkultes Blut im Stuhl (Haemoccult-Test, Fa. Röhm Pharma/Darmstadt)
2. Juckreiz, Nässen, Feuchten in der Rima ani.

Proktoskopie, Rectoskopie

Proltoskopie und Rectoskopie sind erforderlich bei:

1. a) makroskopisch sichtbaren Blutabgängen aus dem Anus. Hellrote Blutungen haben ihre Ursache zumeist in der unteren Dickdarmregion, stammen häufig aus Hämorrhoiden, können aber auch durch einen Polypen oder ein Carcinom verursacht sein
   b) okkulten Blutungen (positiver Haemoccult-Test)

2. Änderungen der Stuhlgewohnheiten: neu auftretende Diarrhoen oder Obstipationen, unwillkürlicher Stuhlabgang („*Phänomen des falschen Freundes*")
3. Knotenbildungen am äußeren Analring, prolabierenden Knoten oder Tumoren in Abhängigkeit von der Defäkation
4. „Kerben- oder Bleistiftstuhl", der bei Läsionen im Analbereich, aber auch bei stenosierenden Prozessen (Carcinom) im Rectum auftreten kann.

Eine röntgenologische Darstellung und Beurteilung des Rectums ist zumeist schwierig und hinsichtlich der Aussagekraft einer Rectoskopie auch unterlegen. *Die Rectoskopie sollte der Röntgenuntersuchung vorausgehen*, da die nachfolgende radiologische Untersuchung gegebenenfalls zur Aufklärung z.B. rectoskopisch unklarer stenosierender Prozesse beitragen kann.

Sigmoido-Coloskopie

Die gegenüber der Rectoskopie apparativ, technisch, zeitlich und personell wesentlich aufwendigere Sigmoido-Coloskopie bedarf einer klaren und eingeengten Indikationsstellung.

Indikationen zur Sigmoido-Coloskopie sind:

1. Rectoskopisch nicht abzuklärende Stenosen im Rectum-Sigma-Übergangsbereich
2. Unklare Röntgenbefunde besonders bei Divertikulose – Diverticulitis, zum Carcinomausschluß bei Polypen und Entzündung
3. Diskrepanzen zwischen Anamnese und negativem Röntgenbefund, z.B. prokto-rectoskopisch und röntgenologisch nicht zu klärende rezidivierende Hämorrhagien des unteren Verdauungstrakts
4. Positiver Test auf okkultes Blut bei negativem Rectoskopiebefund und Colon-Röntgenbefund
5. Präoperative histologische Sicherung eines pathologischen Röntgenbefundes
6. Verlaufsbeobachtungen und Kontrolle des Therapieerfolges (Präcancerosen, operiertes Colon, Anastomosenkontrolle nach colo-rectalen Carcinomen, Kontrolle nach Ektomie von Polypen mit focalem Carcinom oder von malignen Polypen)
7. Operative Coloskopie.
   Mit Einführung der relativ leicht zu handhabenden „Kurzsigmoidoskope" wird sich die enge Indikation zur Sigmoido-Coloskopie erweitern und sich der der Rectoskopie weitgehend annähern.

Kontraindikationen zur Sigmoido-Coloskopie jedoch sind:

1. Mangelnde Kooperation des Patienten
2. Akut-entzündliche Darmerkrankung (fulminanter Verlauf der Colitis ulcerosa und des Morbus Crohn, toxisches Megacolon, akute Diverticulitis)
3. Akute Peritonitis
4. Vorsicht ist geboten bei kardialer, coronarer und pulmonaler Insuffizienz.

Literatur

Berg, V.: Diagnose der Enddarmerkrankungen. Tägl. Praxis **11**, 21 (1970).

Böhm, C.: Dermatologische Erkrankungen der Analregion. Z. Allgemein. Med. **45**, 187 (1969).

Borm, D., Kaiser, N.: Erkrankungen des Enddarms in der poliklinischen Sprechstunde. Med. Klin. **65**, 597 (1970).

Demling, L., Classen, M., Frühmorgen, P.: Atlas der Enteroskopie. Heidelberg/New York: Springer 1974.

Kanzler, G., Beck, K., Gruner, H.J., Remmele, W., Strauch, M.: Rectoskopie als Vorsorgeuntersuchung. Med. Welt **24**, 667 (1973).

Neiger, A.: Atlas der praktischen Proktologie. Bern/Stuttgart/Wien: Huber 1973.

Muto, I., Matsumura, I., Iomiyama, J., Hara, K., Tsuchiya, S., Williams, C., Yamashiro, M., Kanazawa, K., Ikenaga, T.: The Value of Colonoscopy, Biopsy and Colonoscopic Polypectomy in the Diagnosis and Treatment of Colonic Polyps. Amer. J. Proctol. **25**, 45 (1974).

Otto, P.: Die ambulante Sigmoidoskopie. Indikation, Technik und Ergebnisse. In: Ergebnisse der Angiologie, Bd. 6. Hrsg. v. H. Gummrich u. W. Nikolowski, Stuttgart/New York: Schattauer 1973.

Rannenberg, K.M.: Dermatologische Aspekte zu Erkrankungen der Perianal- und Anorectalregion. Z. Allgem. Med. **14**, 655 (1974).

Riedel, H., Heyer, I., Schumann, K., Helmstaedt, D., Otto, P.: Haemoccult-Teststudie im Rahmen der gynäkologischen Vorsorgeuntersuchungen. Geburtsh. u. Frauenheilk. **37**, 27 (1977).

Roschke, W.: Die proktologische Sprechstunde. 4. Aufl. München/Berlin/Wien: Urban und Schwarzenberg 1976.

Zimmermann, G.: Die Voruntersuchung bei anorectalen Erkrankungen. Wien. med. Wschr. **119**, 98 (1969).

3. Anamnese

Für proktologische Erkrankungen lassen sich aus einer gezielten, sorgfältig erhobenen Anamnese in den meisten Fällen wegen der typischen Symptome wesentliche Hinweise auf die Diagnose gewinnen.

Im folgenden sind tabellarisch typische proktologische Symptome entsprechenden proktologischen Befunden bzw. Diagnosen gegenübergestellt:

Proktologische Anamnese und Befund

1. Blutungen	
Blut tropft ab	perianale Thrombose (spontan eröffnet); Hämorrhoiden aller Grade
hellrot, aufgelagert, am Toilettenpapier	Analfissur; perianale Thrombose (spontan eröffnet); Hämorrhoiden; tiefsitzendes Rectumcarcinom oder Polyp
Teerstuhl	Blutung in der Regel aus dem oberen Magen-Darm-Trakt, aber auch aus dem Colon
mit Stuhl und/oder Schleim vermischt	Colitis ulcerosa (selten Morbus Crohn), infektiöse Colitis, Strahlenproktitis, ischämische Colitis, Carcinom oder Polyp
abhängig von Menstruation	Endometriose des Rectums
2. Schmerzen	
Sofortschmerz, defäkationsabhängig, heftig, brennend, epikritisch	Fissur, akute
Intervall- oder Spätschmerz, defäkationsabhängig, dumpf, brennend, bohrend	inkomplette Fistel; Kryptitis – Papillitis
Dauerschmerz	perianale Thrombose; periproktitischer Absceß; Analfisteln
krampfartig	Proktalgia fugax (Krampf der Beckenbodenmuskulatur)

drückend, evtl. mit Stuhlgang auftretend	Prokto-Colitis unterschiedlicher Ursache, Spastik bei irritablem Colon
Fremdkörper- und/oder Schweregefühl	Hämorrhoidalleiden, besonders Prolaps, Analpolyp bzw. -fibrom, Carcinom (fortgeschrittenes Stadium)
3. Defäkation	
Durchfälle	funktionell, Colica mucosa, irritables Colon, Colitis, Diverticulitis, Carcinom (Wechsel mit Obstipation)
Obstipation	funktionell („habituelle Obstipation", Schafkotstuhl); Morbus Hirschsprung; Carcinom (Wechsel mit Diarrhoe); Melanose bei Laxantienabusus
„Proktogene Obstipation"	Fissur; Hämorrhoiden; Analprolaps etc.
Bleistift-, Kerbenstuhl	Raumforderung im Anorectalbereich (z.B. Carcinom, hypertrophe Analpapillen, Polypen), Sphincterspasmus (z.B. Analfissur, Narben)
Schleim, Schleimauflagerung, Abgang von „Membranen"	Colica mucosa, Irritation der Schleimhaut
4. Knoten im Analbereich	
randständige Knoten, weiche Hautläppchen, -falten – nicht füllend bei Bauchpresse –	Marisquen (Residuen nach Fissuren, perianalen Thrombosen, Überdehnung der Analhaut)
weiche, von äußerer Haut überzogene Knoten, füllend bei Bauchpresse, ausdrückbar	äußere Hämorroiden (selten)
„infiltrierte" Hautfalte, ödematöser Zapfen, – meist hintere Commissur	„Vorpostenfalte", in die typischerweise die Analfissur ausläuft
livider, plötzlich aufgeschossener, prall-elastischer schmerzhafter Knoten	akute perianale Thrombose
warzenartige, sandfarbene, rasenartig angeordnete kleine Knötchen	Condylomata acuminata (Virusgenese), Condylomata lata (Lues)
derber, häufig exulcerierender Knoten	Analcarcinom (selten)
prolabierende Knoten	
weißlich, gelblich, derber Knoten	hypertrophe Analpapille, Fibrom

hochrot, bis zu kindskopfgroß, hirnwindungsartiges Aussehen (Rectumschleimhaut)	Anal-, Rectumprolaps
erbs-, pflaumengroße(r) Knoten, von Schleimhaut überzogen, teilweise fibrosiert	Hämorrhoiden II. und III. Grades (sekundärer Analprolaps)
5. *Pruritus ani*	häufig keine pathologischen Veränderungen sichtbar, Analekzem, akut-chronisch, Hämorrhoidalleiden, Wurmerkrankung

3.1 Protokoll-Vordruck

Zur Befunddokumentation eignen sich Vordrucke nachfolgenden Schemas. Auf diesen Bögen können auch anamnestische und therapeutische Hinweise fixiert werden (s. S. 6).

Literatur

Bokelmann, D., Drüner, H.K., Schulz, K.: Klinik und Prognose der Kolon- und Rektumkarzinome. Dtsch. med. Wschr. **97**, 1590 (1972).

Knoch, H.G., Kamenz, E.: Proktologische Probleme der täglichen Praxis. Dtsch. Gesundh.-Wes. **27**, 1201 (1972).

Lösel, H.: Erkrankungen des Anorektalbereichs und ihre Behandlung. Med. Klin. **63**, 1389 (1968).

Roschke, W.: Die proktologische Sprechstunde. 4. Aufl. München/Berlin/Wien: Urban und Schwarzenberg 1976.

Roschke, W., Krause, H.: Proktologische Diagnostik. Fortschr. Med. **85**, 684 (1967).

4. Vorbereitung zur endoskopischen Untersuchung

Die Inspektion der äußeren Analregion, die digitale Untersuchung und die Proktoskopie sind ohne Vorbereitung des Patienten durchzuführen.

4.1. Recto-Sigmoidoskopie

Zur Vorbereitung der Rectoskopie eignen sich die salinischen 1×-Klysmen (z.B. Pfrimmer/Erlangen). Bei ihrer Verwendung ist bei 90–95% aller Patienten der Darm optimal bis hinauf zur linken Flexur gesäubert.

Im akuten Schub der Colitis ulcerosa lassen sich ohne Vorbereitung krankheitsspezifische Veränderungen besser erfassen (eitrig-blutige Beläge). Tagelange Vorbereitungen mit Laxantien, Spezialdiäten und hohen Einläufen entfallen. 10–20 min nach Klysmengabe entleert sich der Patient. Die Untersuchung sollte innerhalb der ersten 15–20 min. nach der Entleerung erfolgen, weil sonst Darminhalt aus höheren Abschnitten des Colons nachlaufen kann.

Verwendbar zur Vorbereitung sind auch z.B. die *Mikroklysmen* (Deutsche Pharmacia/Frankfurt) oder CO_2 entwickelnde Suppositorien, z.B. *Optipurgan* (Plantorgan/Bad Zwischenahn).

4.2. Sigmoido-Coloskopie

Bei der Vorbereitung für die Sigmoido-Coloskopie ist zwischen erweiterter Sigmoidoskopie bis zur linken Flexur (*„partielle" Coloskopie*) und eigentlicher Colo-

Adresse der Klinik	Adresse des Patienten

Proktologische Untersuchung

Überweisungsindikation:
Beschwerden:

Schmerzen
Nässen
Jucken
Blutung: vermischt aufgelagert
Schleimabgang

Stuhlgang
Laxantien
Analoperation
Sonstiges:

Inspektion:

Rötung, Ekzem
Marisque (Hautfalte)
Fissur, Rhagaden
Hämorrhoiden
Fistel
Prolaps
Perianale Thrombose

dorsal

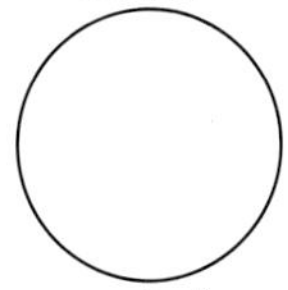

ventral

Digitale Untersuchung:

Sphinctertonus
Narben, Stenosen
Tumor, Resistenz
Prostata
Cervix

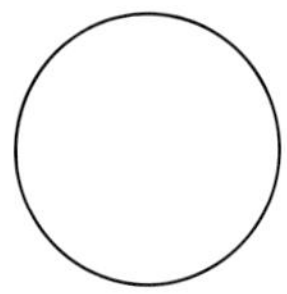

Proktoskopie:

Hämorrhoiden – Grad: I...... II......
Hypertrophe Papille
Tumor

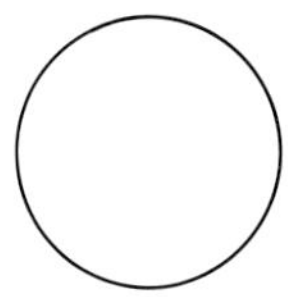

Recto-Sigmoidoskopie: bis cm ......

Spastik
Schleimhaut
Gefäßzeichnung
Tumor
Sonstiges
Foto bei cm:
PE bei cm:

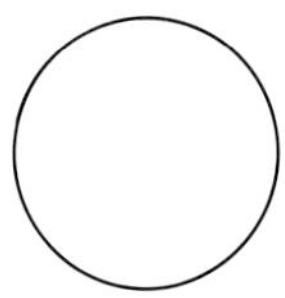

Beurteilung:

Wiedervorstellung am: ....

Therapie:

(Unterschrift:)

skopie bis zum Coecumpol (*„totale“ oder „hohe“ Coloskopie*) zu unterscheiden.

4.2.1. Erweiterte Sigmoidoskopie

Es genügt (wie unter 4.1. ausgeführt) die Verabreichung eines salinischen *1×-Klysmas.*

4.2.2. Hohe Coloskopie

Für die *hohe Coloskopie* unter stationären Bedingungen werden zwei *hohe Reinigungseinläufe* (ca. 1500 ml Wasser, versetzt mit je 1 Ampulle entsprechend 5 ml *Dulcolax* spezial [Thomae/Biberach an der Riss]) 4 und 1 h vor der Untersuchung durchgeführt. Die Patienten sollten während des Einlaufs von der Linksseitenlage über den Bauch in Rechtsseitenlage gedreht werden, damit die Einlaufflüssigkeit den Coecumpol erreichen kann. Ca. 30 min vor der eigentlichen Untersuchung zusätzlich Verabreichung eines *1×-Klysmas*, um die Reste der Einlaufflüssigkeit aus der Ampulla recti zu beseitigen.

Die teure schlackenfreie *„Astronautenkost“* Vivasorb (Pfrimmer/Erlangen), *AKV* (Fresenius/Bad Homburg) hinterläßt oft dunkle, klebrige, kaum durch Spülung zu beseitigende Schleimhautbeläge, die mit Teerstuhl zu verwechseln sind.

Für die Coloskopie bei ambulanten Patienten empfehlen sich 2 Tage vor der geplanten Untersuchung jeweils mittags gegen 14 Uhr 1 Flasche *X-Prep* (Mundipharma/Frankfurt) sowie flüssige oder breiige Kost am Vortage (Fleischbrühe) und am Untersuchungstag früh morgens ein *1×-Klysma* Pfrimmer.

4.3. Endoskopische Polypektomie

Für Polypektomien aus distalen Colonanteilen (Descendens und Sigma) — dem häufigsten Polypensitz — genügt die unter 4.1. für die Sigmoidoskopie gegebene Vorbereitung, zumal Komplikationen mit konsekutiv notwendig werdendem chirurgischem Eingriff nur selten beschrieben wurden.

4.4. Prämedikation zur Sigmoido-Coloskopie

Eine Prämedikation ist in der Regel nicht erforderlich. Bei ängstlichen Patienten empfiehlt sich die Gabe von 50–100 mg *Dolantin spezial* (Hoechst/Frankfurt) i.v. oder 10–20 mg *Diazepam* (*Valium*) (Hoffmann-La Roche/Grenzach) i.v., da sonst die für die Untersuchung „passive Mitarbeit“ des Patienten nicht gewährleistet ist. Bei sehr spastischem Colon sollten *Spasmolytica* (z.B. *Buscopan* [Boehringer/Ingelheim] i.v. oder *Glukagon* [Lilly/Gießen] 0,5–1 mg i.v.) gegeben werden, um eine Beurteilung aller Darmabschnitte zu erreichen und blinde Stellen in spastisch kontrahierten Falten auf ein Minimum zu reduzieren.

Untersuchungen in Vollnarkose sollten vermieden werden. Sie sind unzweckmäßig und gefährlich, da sich in dem weiten schlaffen Colon die Gerätespitze verfangen kann, die Übersicht über das Darmlumen verloren geht und sich dabei die Gefahr der Perforation erhöht.

Literatur

Alken, P., Ungeheuer, E.: Die Bedeutung der Rektoskopie in der Praxis. DÄ **47**, 3404 (1974).

Bergemann, W.: Zur Endoskopie des Rektums und Kolons. Neuerungen, Methodik, Ergebnisse. Z. Allgemein. Med. **6**, 292 (1974).

Demling, L., Classen, M., Frühmorgen, P.: Atlas der Enteroskopie. Berlin/Heidelberg/New York: Springer 1974.

Evans, K.: The Use of Bisacodyl Suppositories in Preparation for Sigmoidoscopy. Gut **5**, 172 (1964).

Ewe, K.: Technischer Fortschritt und Demonstrationen auf dem Gebiet der Rectoskopie. Mat. Med. Nordmark **19**, 593 (1967).

Otto, P.: Zur Problematik der Rektum-Dickdarm-Karzinom-Diagnostik in der Praxis. Der praktische Arzt **12**, 134 (1975).
Otto, P., Becker, H., Braschke, M., Huchzermeyer, H.: Zwischenfälle bei der coloskopischen Polypektomie. In: Fortschritte der gastroenterologischen Endoskopie. Bd. 6 hrsg. v. H. Lindner, G. Witzstrock, Baden-Baden/Brüssel 1975.
Otto, P., Huchzermeyer, H., Müller, H.: Komplikationen bei der Coloskopie — Ergebnis einer Umfrage an gastroenterologischen Zentren in der Bundesrepublik Deutschland. In: Fortschritte in der Endoskopie, Kongreß-Bericht 9. Kongr. dtsch. Ges. Endoskopie, München 1976. Erlangen: peri med 1976.
Smith, L.E., Nivatvongs, S.: Complications in Colonoscopy. Dis. Colon Rect. **18**, 214 (1975).
Wolff, W.I., Shinya, H.: Polypectomy via the Fiberoptic Colonoscope. New Engl. J. Med. **288**, 329 (1973).

5. Lagerung (Abb. 1a–d)

Für die Rectoskopie eignen sich im wesentlichen drei Lagerungen: 1. die Knie-Ellenbogen- bzw. Brust-Lage, 2. die Rükkenlage („Steinschnittlage") und 3. die Linksseitenlage („Sims-Position").

Eine optimale proktologische Untersuchung hängt weniger von der Art der Lagerung, sondern vielmehr in erster Linie von der Ausbildung und Erfahrung des Untersuchers ab. Jede einzelne Lagerung hat gewisse Vor- und Nachteile.

5.1. Knie-Ellenbogen- oder -Brust-Lage (Abb. 1a u. 1b)

Vorteile: Gute Darstellbarkeit der Analregion, optimale Verhältnisse für die Recto-Sigmoidoskopie — der Bauchinhalt bewegt sich der Schwere nach cranialwärts, das Sigma streckt sich. Die Luftinsufflation erübrigt sich in der Regel.

Nachteile: Die Lage ist relativ unbequem für den Patienten, für ältere, gebrechliche Patienten schwer durchführbar und weniger geeignet für länger dauernde proktologische Eingriffe.

Praktische Durchführung: Der Patient kniet auf einem möglichst hohen Untersuchungstisch (Operationstisch, Endoskopietisch, Untersuchungsliege) möglichst nahe zum Untersucher hin. Er beugt sich nach vorn über und stützt sich entweder auf den Ellenbogen, oder er liegt mit der Brust auf (Abb. 1a).

Wesentlich einfacher und leichter läßt sich diese Position auf speziellen kippbaren Rectoskopiestühlen einnehmen (Abb. 1b, 1c, s. auch Abb. 11). Der Stuhl kann durch Anbringen von Beinstützen auch für die Steinschnittlage umgerüstet werden (Abb. 1c).

5.2. Steinschnittlage (Abb. 1c)

Vorteile: Ein gynäkologischer Untersuchungsstuhl ist in Praxen und Kliniken oft bereits vorhanden. Günstige Lagerung für proktologische Eingriffe.

Die Lagerung ist für den Patienten angenehmer als die Knie-Ellenbogen-Lage.

Nachteil: Der Bauchinhalt liegt auf dem Sigma und komprimiert es. Zur Entfaltung muß daher immer wieder Luft eingeblasen werden. Geeignet für diese Position ist z.B. der Untersuchungsstuhl nach Wintz (Maquet/Rastatt).

5.3. Sims-Linksseitenlage (Abb. 1d)

Diese Lage ist bei uns weniger gebräuchlich, sie wird besonders in England angewandt.

Vorteile: Die Lagerung ist für den Patienten bequem. Sie kann in Notfällen und bei schwerkranken Patienten auch im Bett eingenommen werden.

Rectoskopie gut möglich. Das Sigma streckt sich ebenfalls, Luftinsufflation ist allerdings meist notwendig. Diese Lagerung enthält somit Merkmale der beiden anderen Lagerungen.

Nachteil: Die Bewegungsfreiheit der Untersucher ist gegenüber den anderen beiden Positionen etwas eingeschränkt.

Praktische Durchführung: Der Patient legt sich auf einen möglichst hohen Untersuchungstisch (Operationstisch, Endoskopietisch, Liege) auf die linke Seite. Das Gesäß wird durch ein festes Kissen etwas erhöht.

Literatur

Buie, L.A.: Practical Proctology, 2nd Ed. Springfield/Ill.: C.C. Thomas 1960.

Dietrich, K.F.: Proktologie für die Praxis. München: J.F. Lehmann 1969.

Ewe, K.: Technische Fortschritte und Demonstration auf dem Gebiet der Rectoskopie. Mat. Med. Nordmark **19**, 593 (1967).

Knoch, H.G., Lauschke, G.: Praktische Einführung zur Rectoskopie. Jena: VEB Gustav Fischer 1965.

Neiger, A.: Atlas der praktischen Proktologie. Bern/Stuttgart/Wien: Huber 1973.

Nesselrod, J.P.: Clinical Proctology. Phil./London: W.B. Saunders 1957.

Roschke, W.: Die proktologische Sprechstunde. 4. Aufl. München/Berlin/Wien: Urban und Schwarzenberg 1976.

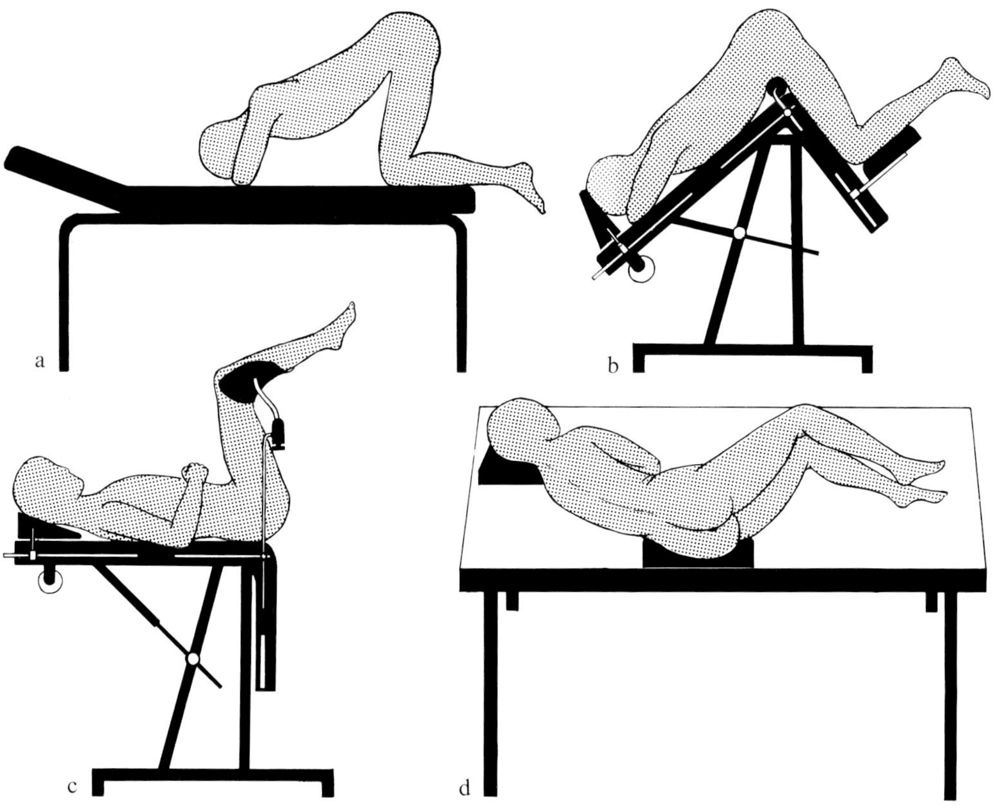

Abb. 1a–d. *Lagerung zur proktologischen Untersuchung.* (a) Knie-Ellenbogen-Lage; durchführbar auf jeder Untersuchungsliege. (b) Knie-Ellenbogen- bzw. Knie-Brust-Lage bei Benutzung des kippbaren Rectoskopiestuhles nach Ewe. (c) Steinschnittlage. (d) Linksseitenlage, Sims-Lage

6. Inspektion der äußeren Analregion

Der *Inspektion* zugänglich sind die perianale Region, der Anus und bei ausreichender Spreizung der Nates Anteile des Analkanals (Abb. 13, s.S. 22). Voraussetzung für eine optimale Beurteilung ist eine gute Beleuchtung der Analregion.

Die wesentlichen Befunde, die durch die Inspektion erhoben werden können (s. Kap. 12 ff.), sind:

Akute und *chronische Ekzeme, Fistelmündungen, periproktitische Abscesse, Condylome, Marisquen (Hautfalten), perianale Thrombosen (Hämatome), äußere Hämorrhoiden, prolabierte innere Hämorrhoiden (Hämorrhoiden III. Grades), Anal- und Rectumprolaps, Analcarcinom, Rhagaden, Fissuren, „Vorpostenhämorrhoide".*

Danach fordert man die Patienten auf, stark zu pressen. So erhält man zusätzliche Informationen über sich füllende *äußere* oder *auch prolabierende innere Hämorrhoiden (Hämorrhoiden II. Grades), Anal- und Rectumpolapse* oder ebenso *prolabierende Analpolypen* oder *hypertrophe Analpapillen.*

7. Digital-rectale Untersuchung

(Abb. 2a u. b)

7.1. Fingerschutz

Beim Hantieren in der Analregion und vor der rectalen Untersuchung läßt sich die untersuchende Hand durch einen *Plastikhandschuh* schützen. Es sind Plastikhandschuhe von verschiedener Stärke für den Einmalgebrauch auf dem Markt. Zusätzlich empfiehlt es sich, einen *Fingerling* über den Zeigefinger zu ziehen, der nach der Untersuchung abgestreift wird. Die Untersuchung kann auch nur mit einem Fingerling erfolgen; man bohrt den Zeigefinger durch ein Stück Zellstoff, der die übrige Hand schützt.

Es hat sich bewährt, daß Rechtshänder den linken Zeigefinger für die rectale Untersuchung benützen; dadurch bleibt die nicht kontaminierte rechte Hand für das instrumentelle Hantieren frei.

7.2. Praktisches Vorgehen

Dem Patienten muß das Einführen des Fingers vorher angekündigt werden. Er soll „wie zum Stuhl pressen" oder „ganz locker lassen".

Der Finger hat einen ovalen Durchmesser. Das Einführen in vertikaler Richtung ist am schonendsten.

Als Gleitmittel eignen sich: *Katheterpurin, Vaseline* oder *fetthaltige Salben.*

Der Untersuchungsbereich des palpierenden Fingers: Anus, Analkanal (3–5 cm lang), Rectum bis ca. 8 cm (Abb. 13, s. S. 22). In Steinschnittlage und beim Pressenlassen können unter Umständen auch höher sitzende Resistenzen getastet werden. Während der Untersuchung muß der Zeigefinger einen vollen Kreis beschreiben. Besonders ist dabei die proximale dorsale, rectoskopisch nicht einsehbare Region auszutasten. Nach dem Herausgehen ist auf Blut am Finger zu achten. Manche Patienten, besonders adipöse, haben einen „*Trichteranus*", bei denen die Austastung selbst bei Untersuchern mit langen Fingern nur unvollständig gelingt.

Bei der Untersuchung ist auf folgendes zu achten:

Schmerzhaftigkeit: Frische Analfissuren sind so schmerzhaft, daß eine vorsichtige digitale Austastung ohne vorherige Lokalanästhesie unmöglich sein kann. *Chronische Fissuren, Rhagaden, Kryptitis, Papillitis* und *Ulcerationen* schmerzen bei der Palpation. Durch Verlagerung des Fingerdrucks in verschiedene Richtungen ist eine Lokalisation möglich. Schmerzhaftigkeit beim Druck auf das Steißbein wird als „*Coccygodynie*" bezeichnet.

Sphinctertonus: Der Tonus ist gesteigert bei schmerzhaften Läsionen und gesenkt

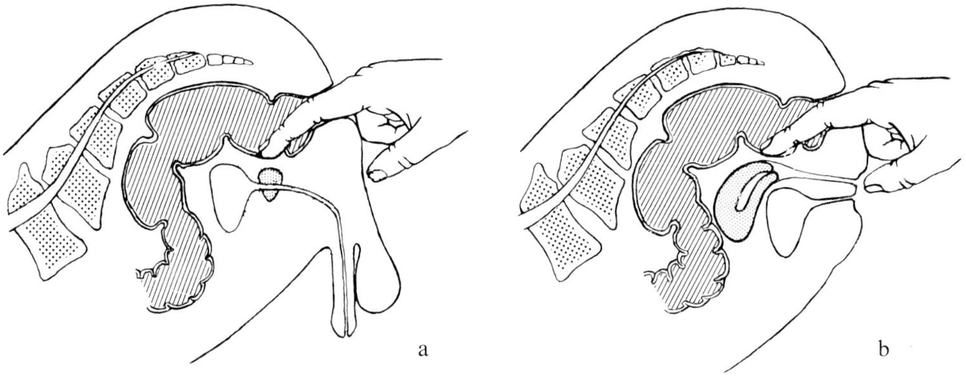

Abb. 2a u. b. *Schematische Darstellung der digital-rectalen Untersuchungstechnik.* (a) Untersuchung des Mannes mit Palpation der Prostata. (b) Untersuchung der Frau mit Palpation des Uterus: Portio, Cervix uteri

nach Operationen, häufig auch nach schweren Geburten. Die Kontraktionsfähigkeit des äußeren willkürlichen Analsphincters kann man dadurch prüfen, daß man den Patienten auffordert, den Schließmuskel zu kontrahieren.

Bei der bidigitalen Untersuchung wird der Sphincter zwischen Daumen und Zeigefinger genommen und auf Narben und Verhärtungen durch Fisteln geachtet.

Durchgängigkeit: Durch die digitale Untersuchung können Stenosen — angeboren oder erworben — festgestellt werden. Als „*Pectenosis*" wird eine fibröse, ringförmige Verengung im Bereich des oberen Sphincters beschrieben, die wahrscheinlich durch chronisch entzündliche Prozesse (Anitis — Kryptitis — Papillitis) verursacht wird.

Resistenzen: Hämorrhoiden sind weiche, schwammige Gebilde, die bei der Untersuchung ausgedrückt werden. Sie sind in der Regel *nicht* zu tasten. Palpabel sind thrombosierte, fibrosierte oder neoplastische Resistenzen (*Analfibrome, hypertrophe Analpapillen,* das seltene *Analcarcinom, Op-Narben, thrombosierte Hämorrhoidalknoten, Polypen, Rectum-Carcinom*).

Prostata: Auf folgende Merkmale der normalen Prostata ist zu achten: *Symmetrie der Lappen, Größe.* Die obere Begrenzung ist nicht immer erreichbar. Die normale *Konsistenz* ist fest und entspricht etwa der Beschaffenheit der Palmarfascie bei der Palpation der Innenhand. Bei Carcinomen ist ein umschriebener Knoten tastbar, der so hart ist wie ein Fingerknöchel. Im fortgeschrittenen Stadium ist ein ganzer Prostatalappen oder die gesamte Prostata carcinomatös verändert. Die Verschieblichkeit der Schleimhaut kann bei carcinomatöser Infiltration aufgehoben sein. Starke Schmerzhaftigkeit beim Druck auf die Prostata besteht bei der Prostatitis. Die zu urologischen Symptomen führende Hypertrophie des Mittellappens ist durch die digitale Untersuchung nicht zu erfassen.

Cervix uteri: Sie ist durch das Rectum gut zu tasten. *Gynäkologische Fremdkörper,* wie eingelegte Pessare und Ringe sowie intravaginale Tampons imponieren als harte Resistenzen und können verwirrende Tastbefunde ergeben.

Skybala können mit Tumoren verwechselt werden. Sie lassen sich an der Darmwand zerdrücken.

Literatur

Buie, L.A.: Practical Proctology 2nd Ed. Sprinfield/Ill.: C.C. Thomas 1960.

Dietrich, K.F.: Proktologie für die Praxis. München: J.F. Lehmann 1969.
Neiger, A.: Atlas der praktischen Proktologie. Bern/Stuttgart/Wien: Huber 1973.
Nesselrod, J.B.: Clinical Proctology. Phil./London: W.B. Saunders 1957.
Roschke, W.: Die proktologische Sprechstunde. 4. Aufl. München/Berlin/Wien: Urban und Schwarzenberg 1976.

8. Instrumente zur Endoskopie des Analkanals und Rectums

In der Besprechung des endoskopischen Instrumentariums und der Zusatzgeräte wird auf allgemeine Merkmale und die wesentlichen Prinzipien eingegangen, weil die Instrumente von Firma zu Firma leicht variieren und überdies ständig modifiziert werden. Einzelheiten können aus Firmenprospekten entnommen werden (Wolf/Knittlingen; Storz/Tuttlingen).

8.1. Beleuchtung

Die modernen Instrumente werden mit eingestrahltem *Kaltlicht* beleuchtet, das über ein Fiberglasbündel von einer Lichtquelle in das Endoskop geleitet wird (Abb. 3). Bei den Analspecula, den Ano- und Proktoskopen ist die Beleuchtung proximal angebracht, bei den neuen Rectoskopen verlaufen die Glasfibern im Mantel des Instruments und münden distal ca. 2 cm vor der Öffnung (distale Beleuchtung Abb. 5a u. b). Bei anderen Fabrikaten ist die Beleuchtung im proximalen Teil des Endoskoprohrs angebracht. Instrumente mit der früher üblichen Glühbirnenbeleuchtung sind weniger gut geeignet. Es sind Lichtquellen verschiedener Größen und Lichtstärken im Handel. Abb. 3 zeigt beispielhaft den Generator 5005 (Fa. Wolf/Knittlingen).

8.2. Analspecula (Abb. 4a u. b)

Die *Hauptindikation der Analspecula* ist die Darstellung von krankhaften Prozessen, wie Fissuren und Analfisteln im distalen Analkanal.

Instrumente: Man kann sich, wenn vorhanden, mit vaginalen Specula behelfen. Von Roschke wurde ein besonderes Analspeculum entwickelt. Auch das dreiteilige Speculum, das von der Fa. Olympus zum Einführen des Fibercoloskops geliefert wird, ist für diese Zwecke verwendbar. Der *Analretractor* nach Parks eignet sich besonders für kleine operative Eingriffe im Bereich des Analkanals und der Hämorrhoidalregion.

8.3. Anuskope (Abb. 4c)

Sie sind besonders geeignet für die Betrachtung von Prozessen, die bis in den Bereich der *Linea dentata* reichen. Der Anfangsteil des Tubus ist meist abgeschrägt. Mit diesen Instrumenten kann die *Injektionsbehandlung von Hämorrhoiden* (Technik nach Bensaude, s.S. 47) durchgeführt werden.

8.4. Proktoskope (Abb. 4d)

8.4.1. Instrumente mit vorderer Öffnung

Sie gleichen den Anuskopen, sind nur länger (10–12 cm) als die Anuskope (6–7 cm). Die Durchmesser variieren zwischen 1,2 und 2,1 cm. Ist neben dem Anuskop ein Rectoskop vorhanden, dann ist ein Proktoskop nicht unbedingt erforderlich.

8.4.2. Instrumente mit seitlicher Öffnung

Hämorrhoiden prolabieren in die seitliche Öffnung und sind der *Injektionsbehandlung* nach Blond zugänglich (s. S. 46).

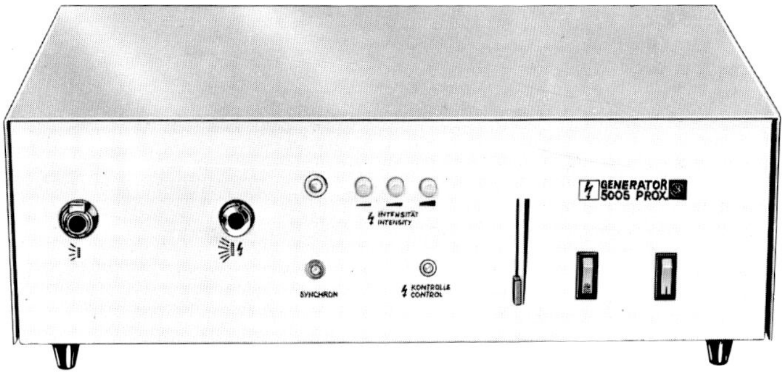

Abb. 3. *Lichtquelle.* Das durch Halogenlampen erzeugte Licht wird durch Fiberglas-Lichtleitbündel zu den Endoskopen geleitet

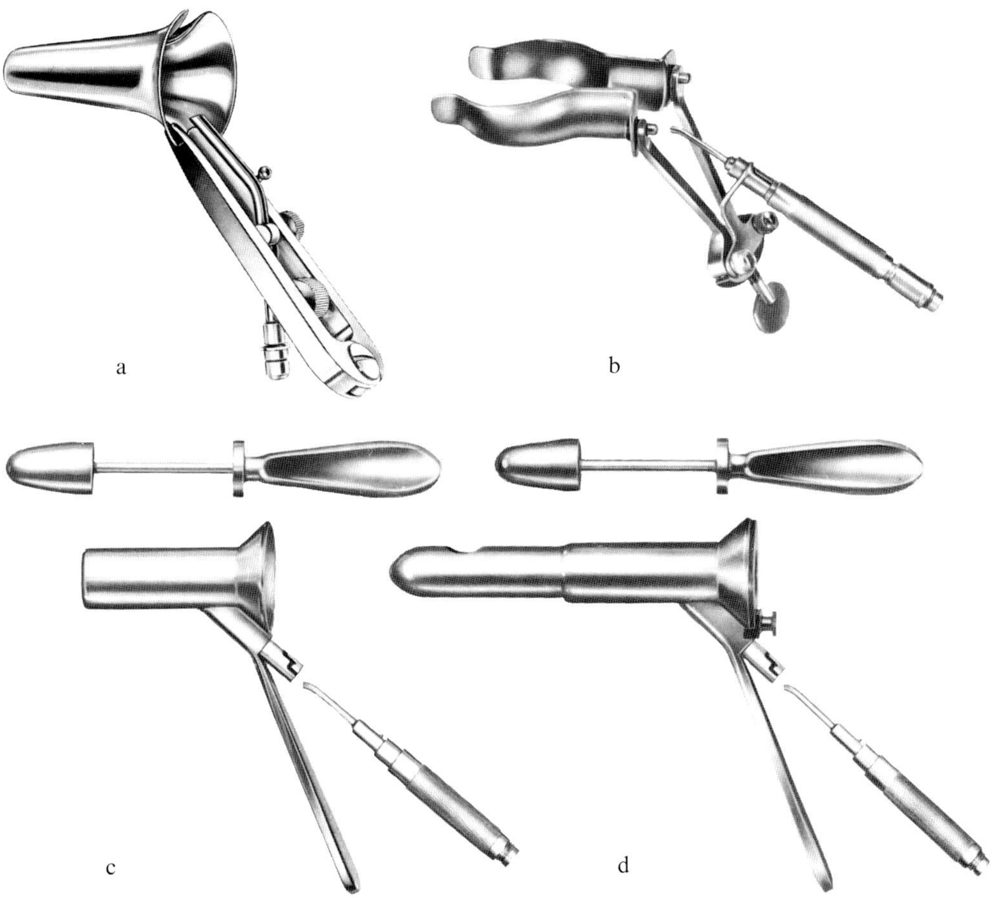

Abb. 4a–d. *Endoskope für die unteren Dickdarmabschnitte.* (a) Analspeculum nach Roschke mit Kaltlichtbeleuchtung (Fa. Wolf). (b) Analretractor nach Parks mit Kaltlichtbeleuchtung (Fa. Storz). (c) Anuskop (Fa. Storz). (d) Proktoskop mit seitlichem Fenster, das bei diesem Modell als Einsatztubus in das Anuskop geschoben werden kann

8.5. Rectoskope (Abb. 5a–c)

Das Standardinstrument für die Recto-Sigmoidoskopie ist 30 cm lang und hat einen Durchmesser von ca. 2 cm (Abb. 5a). Daneben existieren großkalibrige Rectoskope mit etwa 3 cm Durchmesser – *„Operations-Rectoskop"*.

Bei den Geräten der Fa. Wolf endet das Lichtfaserbündel distal (Abb. 5b), bei der Fa. Storz proximal in einem Beleuchtungskopf, auf den der Rectoskoptubus aufgesetzt wird.

Es werden seit kurzem auch Recto- und Proktoskope mit Einmalgebrauchstuben angeboten. Die Plastiktuben werden über

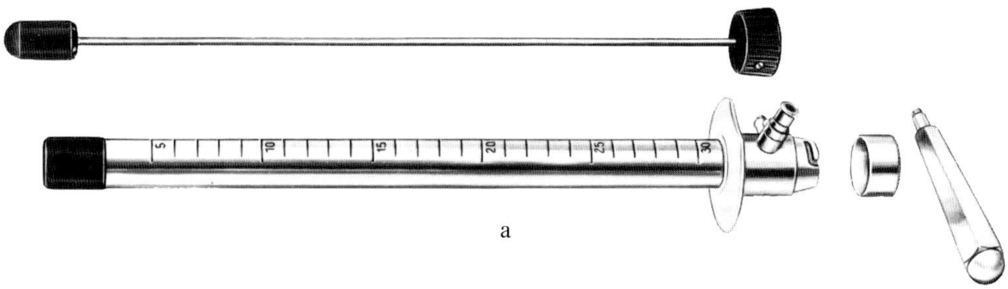

a

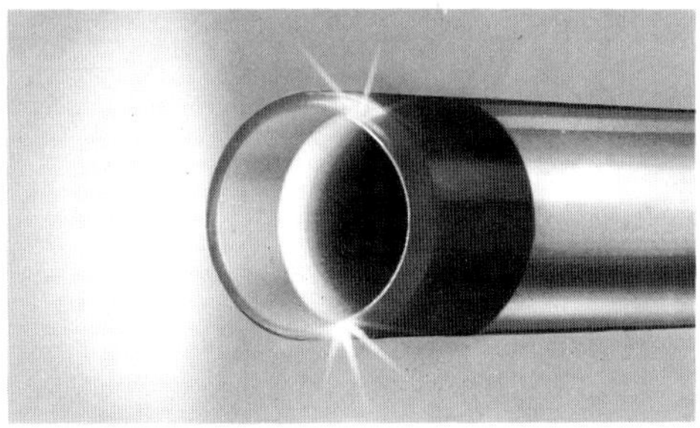

b

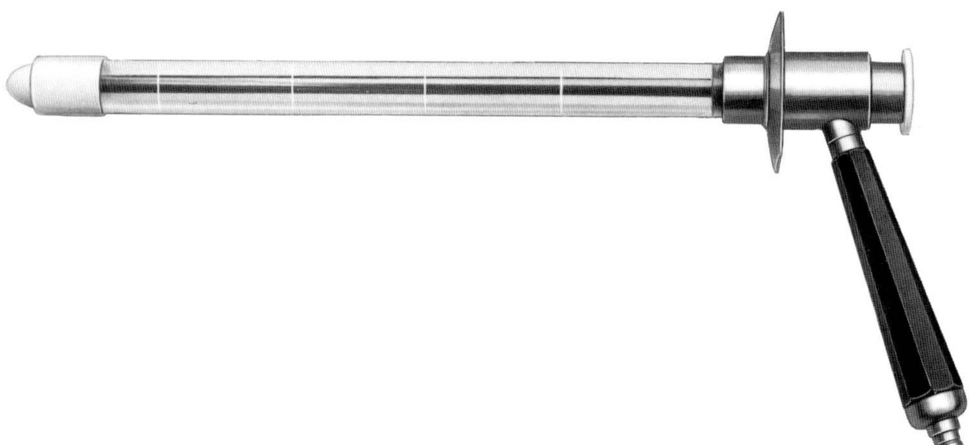

c

Abb. 5a–c. *Rectoskope.* (a) Standardrectoskop (Fa. Wolf), Länge 30 cm, Durchmesser 2,1 cm. Andere Größen: 20, 25 cm bzw. 1,8 cm. (b) Distale Kaltlichtbeleuchtung (Fa. Wolf). (c) Einmal-Rectoskop: Ein steril verpackter Plastiktubus wird auf einen Handgriff mit der Kaltlichtbeleuchtung aufgesteckt (Fa. Wolf)

eine Steckverbindung dem Griff mit Kaltlichtbeleuchtung aufgesetzt (Abb. 5c).

8.6. Kinderinstrumente

Kinder ab 5 bis 6 Jahren können bei vorsichtigem Vorgehen mit dem normalen Erwachsenen-Prokto-Rectoskop untersucht werden. Für Säuglinge und Kleinkinder sind kürzere (20 cm) und dünnkalibrigere Instrumente (1 cm Durchmesser) im Handel.

9. Zusatzinstrumente

9.1. Sonden

Knopfsonden zur Fistelsondierung sowie Sonden mit durchbohrtem Kopf für das Legen von Fadendrainagen.

9.2. Reinigungshilfen (Abb. 6a–c)

9.2.1. Tupferträger

Mit Tupferträgern mit Greifbranchen, Drahtschlingen oder Wendel lassen sich

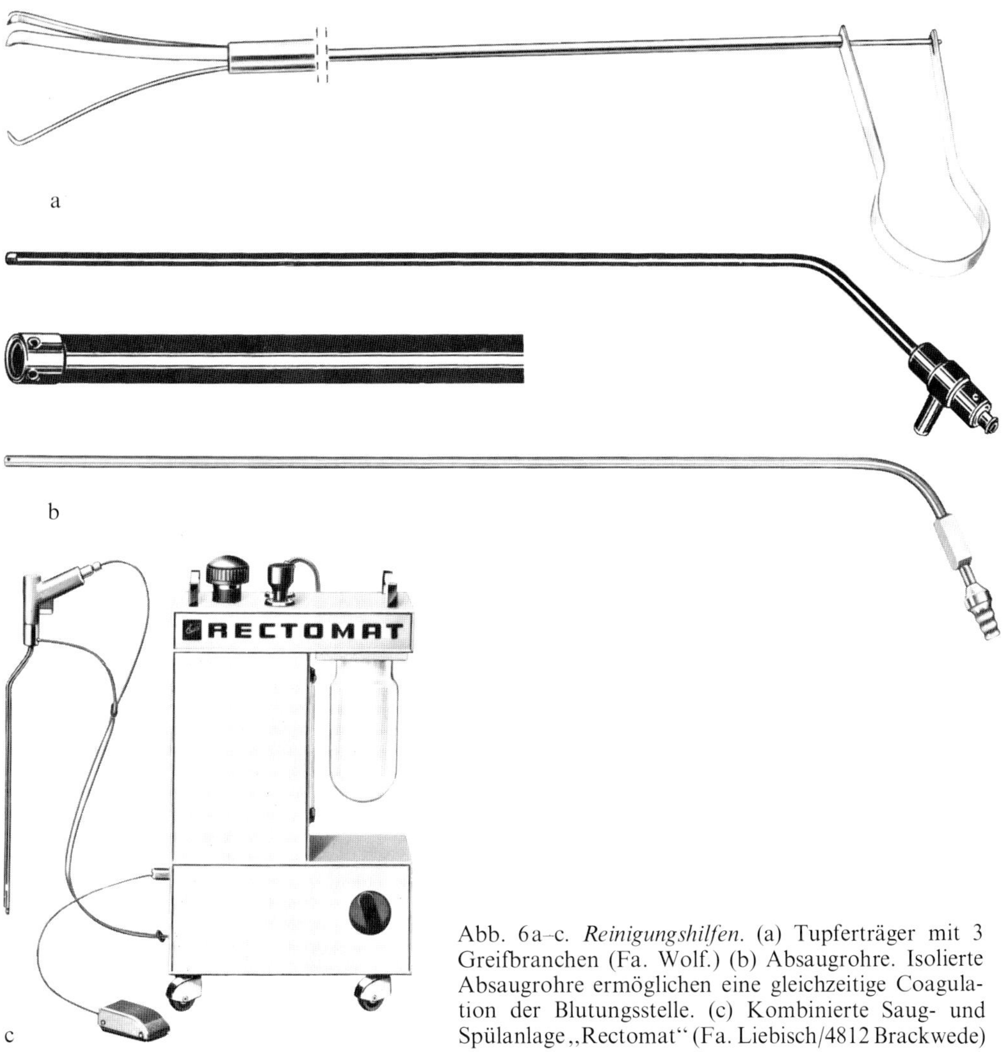

Abb. 6a–c. *Reinigungshilfen.* (a) Tupferträger mit 3 Greifbranchen (Fa. Wolf.) (b) Absaugrohre. Isolierte Absaugrohre ermöglichen eine gleichzeitige Coagulation der Blutungsstelle. (c) Kombinierte Saug- und Spülanlage „Rectomat" (Fa. Liebisch/4812 Brackwede)

Wattebäusche für die Reinigung des Untersuchungsfeldes fassen oder aufdrehen.

9.2.2. Saugrohre

Sie sind zur Entfernung von größeren Einlaufresten, aber auch von breiigen Stuhlmassen von großem Wert. Sie werden an handelsüblichen Saugpumpen angeschlossen, die allerdings eine Saugleistung von 600–800 mmHg haben sollten. Billig und funktionstüchtig sind Wasserstrahlpumpen.

9.2.3. Saug-Spül-Vorrichtungen

In der Regel reichen einfache Saugrohre zur Beseitigung von störendem Darminhalt aus. Es existieren jedoch auch ein elektronisch gesteuertes Gerät, mit dem man gleichzeitig spülen und saugen kann (Gerät nach Roschke, Fa. Wolf) und eine transportable Saug- und Spüleinrichtung „*Rectomat*“.

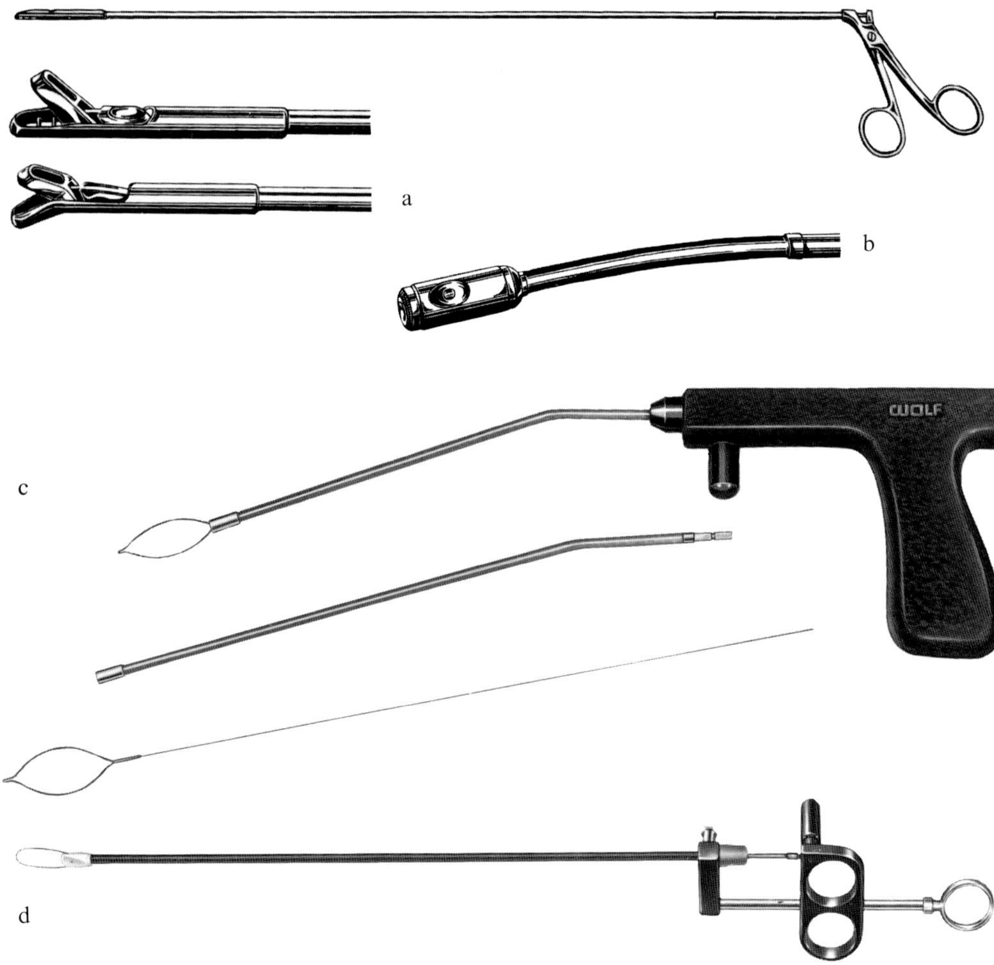

Abb. 7a–d. *Biopsiegeräte*. (a) Biopsiezangen mit geradem und abgewinkeltem Kopf. (b) Saugbiopsie mit flexiblem Kopfteil nach Ewe (Fa. Wolf). (c) Polypenschnürer (Fa. Wolf). (d). Polypenschnürer (Fa. Storz)

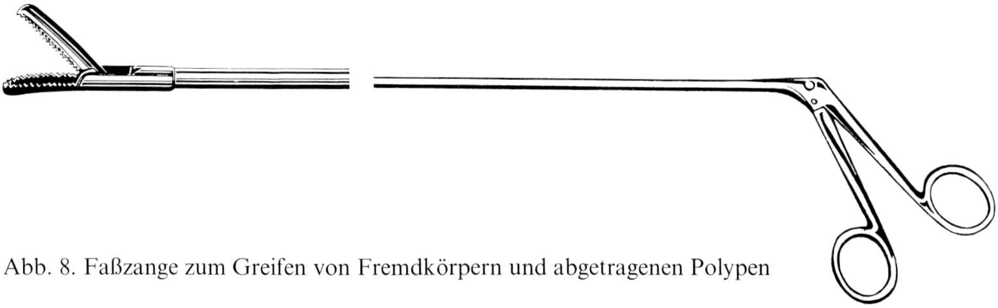

Abb. 8. Faßzange zum Greifen von Fremdkörpern und abgetragenen Polypen

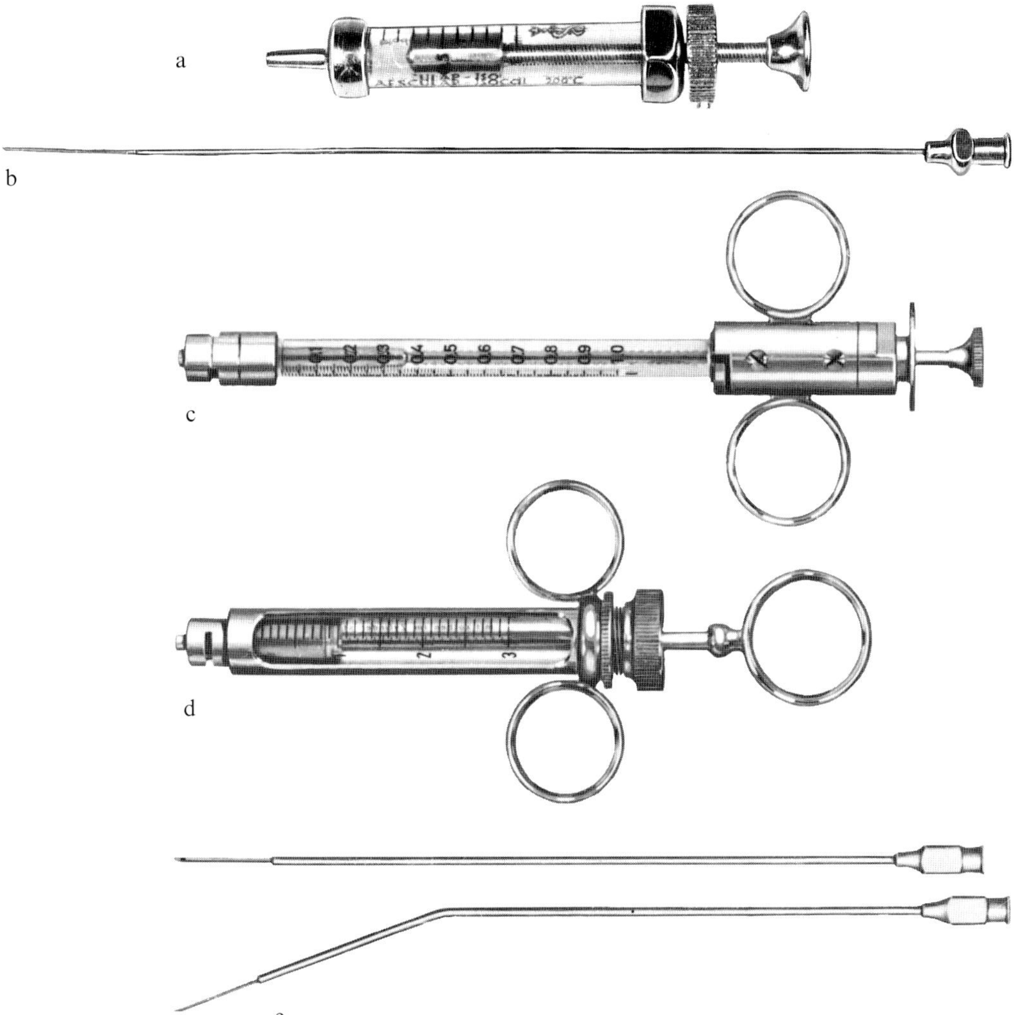

Abb. 9a–e. *Hämorrhoidenspritzen und -kanülen.* (a) Tropfspritze mit Rändelmutter (1 ml) (Fa. Wolf). (b) Injektionskanüle mit abbiegbarem distalem Ende. Länge 12,5; 15,0 oder 20 cm (Fa. Wolf). (c) Tropfspritze nach Böhm (1 ml) (Fa. Storz). (d) Tropfspritze nach Gabriel (3 ml) (Fa. Storz). (e) Injektionskanülen mit Luer-Lock-Verschluß (Fa. Storz)

9.3. Biopsiegeräte (Abb. 7a u. b)

9.3.1. Zangen

Für Probeexcisionen aus umschriebenen Gebieten (z.B. Tumor) existieren verschiedene Typen von Biopsiezangen. Mit Zangen mit isoliertem Schaft lassen sich blutende Gefäße gleichzeitig coagulieren.

9.3.2. Saugbiopsie

Gewebeproben aus der Schleimhaut zur Erfassung diffuser Veränderungen können durch Saugbiopsie gewonnen werden, mit der die Komplikationsgefahr geringer ist als mit der Zangenbiopsie (Ewe).

9.4. Polypenschnürer (Abb. 7c u. d)

Es handelt sich um Drahtschlingen, die bei gleichzeitigem Anschluß an ein Hochfrequenzgerät die Abtragungsstelle im gleichen Arbeitsgang coagulieren. Noch vereinzelt im Handel befindliche aufgedrehte weiche Drahtschlingen sind ungeeignet.

9.5. Coagulationssonden zur Stillung von Nachblutungen

Besonders geeignet sind Coagulationssonden mit *gleichzeitiger* Absaugmöglichkeit, mit deren Hilfe die blutenden Stellen besser identifiziert und coaguliert werden können (Abb. 6b).

Für die Elektrocoagulation und die Polypenschnürer ist ein Generator zur Erzeugung eines Hochfrequenzstromes erforderlich.

9.6. Sichelmesser

zur Incision von entzündeten Krypten („*Kryptotom*")

9.7. Fremdkörperfaßzangen,

mit denen man auch flottierende, gestielte Polypen für die elektrische Schlinge fixieren kann (Abb. 8).

9.8. Instrumentarium für Hämorrhoidenbehandlung (Abb. 9a–e)

Injektionsbesteck zur Sklerosierungstherapie der Hämorrhoiden. Beim Verfahren nach *Blond* werden vorn abgewinkelte Nadeln mit einer Gesamtlänge von 18 cm verwendet, deren Spitze (2,5 cm) um 45° abgewinkelt werden. Spezielle Tropfspritzen ermöglichen die tropfenweise Applikation der Sklerosierungsflüssigkeit. Die Nadeln für das *Bensaud*-Verfahren sind vorn gerade und mit einer Arretierung versehen, um ein zu tiefes Einstechen zu verhindern.

9.9. Optische Hilfen

9.9.1. Lupen (Abb. 10a–d)

Die Lupenbetrachtung bei der Endoskopie erbringt einen erheblichen Gewinn an Detailerkennbarkeit. Die Lupen sind entweder bereits am Instrument angebracht und können eingeschwenkt werden (Storz), oder aber sie werden aufgesetzt (Fernrohrlupe Wolf).

9.9.2. Lupeneinsätze (Lumina-, Hopkinsoptik)

Noch stärkere Vergrößerungen können mit *Lupensystemen* erzielt werden, die in das Rectoskop eingeführt werden. Eine Sonderform dieser Lupeneinsätze ist die Operationsvorrichtung mit *außen* bajonettförmig *abgewinkelter* Optik, bei welcher der Biopsiebereich größer sichtbar ist (Wolf) und die optische Biopsiezange

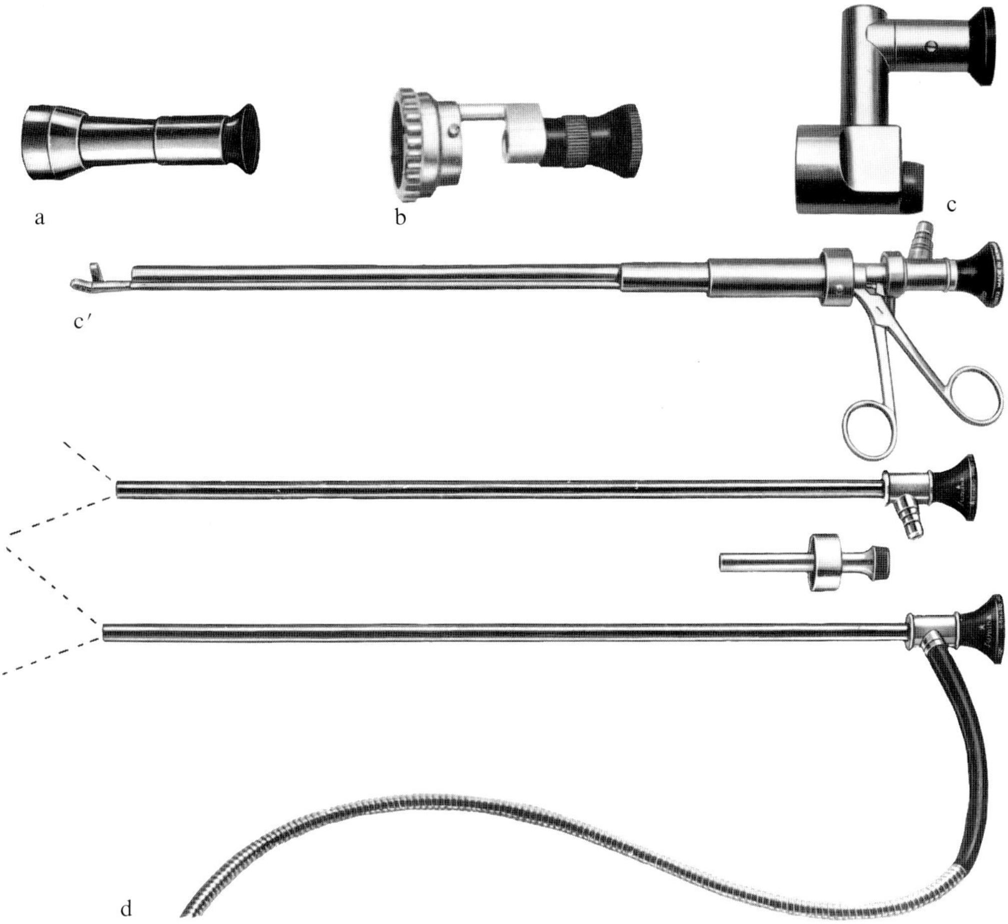

Abb. 10a–e. *Optische Hilfen.* (a) Optischer Aufsatz (Fernrohrlupe) (Fa. Wolf). (b) Einschwenkbare Lupe (Fa. Storz). (c, c′) Operationsansatz und optische Probeexcisionszange (Fa. Wolf). (d) Lupeneinsätze zur Nahsicht, zum Photographieren und Filmen. (e) Polaroidkamera zur schnellen Befunddokumentation (vier farbige Bilder)

(Storz) mit *geradem* Lupeneinsatz und *abgewinkelter* Biopsiezange.

9.10. Fotodokumentation (Abb. 10e)

Elektronenblitze können von außen eingespiegelt werden. Mit der Polaroidkamera werden pro Film vier Farbaufnahmen wiedergegeben, die 2 min nach der Aufnahme fertiggestellt sind.

Die Kleinbildkamera, als Aufsatzkamera verwandt, wird von den jeweiligen Firmen mit besonderen Optiken ausgestattet. Bei Einsatz einer Filmkamera kann das Filmen ebenfalls über umgerüstete Markenkameras geschehen.

10. Rectoskopie-Untersuchungstechnik

10.1. Einführen der Instrumente (Abb. 14a–d)

Nach entsprechender Lagerung des Patienten (Abb. 1 u. 11) wird das Gerät in den Anus eingeführt.

Der Analkanal verläuft schräg in Richtung auf den Bauchnabel. Diese Strecke muß blind passiert werden. Das Instrument wird bei Überwindung dieses Bereichs mit dem Obturator eingeführt, der unmittelbar nach Passieren des Analkanals wieder entfernt wird.

10.2. Positionen beim Vorschieben der Instrumente (Abb. 14a–d)

Um die *Ampulle* zu überblicken, muß der Rectoskopgriff stark nach ventral gesenkt werden (Abb. 14a). Das *Sigma* beginnt relativ konstant bei 14–15 cm. Der Sigmaverlauf ist großen *individuellen Variationen* unterworfen (Abb. 12a–d). Ist der Winkel zu spitz (Abb. 12c, d), kann das Vordringen in das Sigma auch für den Geübten unmöglich sein. Auch bei starken Beschwerden bei der *Überwindung des rectosigmoidalen Übergangs* sollte die Sigmoidoskopie nicht erzwungen werden. Bei wichtiger Indikation kann eventuell auf eine Untersuchung mit einem flexiblen Coloskop ausgewichen werden.

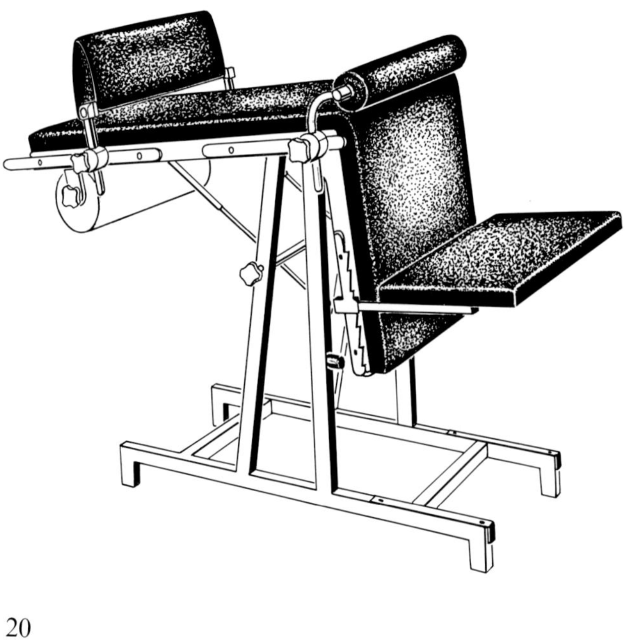

Abb. 11. *Rectoskopiestuhl nach Ewe (Fa. Wolf)*. Er kann sowohl für die Knie-Ellenbogen-Lage als auch durch Anmontieren von Beinhaltern für die Steinschnittlage verwendet werden

10.3. Normalbefunde (Tafel I, Abb. 14a–d)

Die Topographie des Anus und Rectosigmoids ist in Abb. 13 dargestellt und mit Angaben der Höhe vom äußeren Analring an versehen. Die einzelnen Strukturen können bei der Rectoskopie mit der Zentimeterskala des Rectoskopes lokalisiert werden.

Analkanal: Er ist von glatter, spiegelnder, relativ heller Analhaut ausgekleidet und 3–5 cm lang.

Linea dentata: Am Übergang vom Analkanal ins Rectum sind 6–8 längsgestellte *Columnae rectales Morgagni,* die *Morgagnischen Falten,* sichtbar, die in den Morgagnischen *Papillen* auslaufen. Zwischen den Papillen liegen die trichterförmigen *Krypten,* in die die *Proktodäaldrüsen* münden. Die Morgagnischen Falten enthalten Corpus-cavernosum-ähnliche Bluträume, die in die Hämorrhoidalvenen ablaufen. *Bei Hyperplasie und Ektasie bilden sie die Hämorrhoiden.*

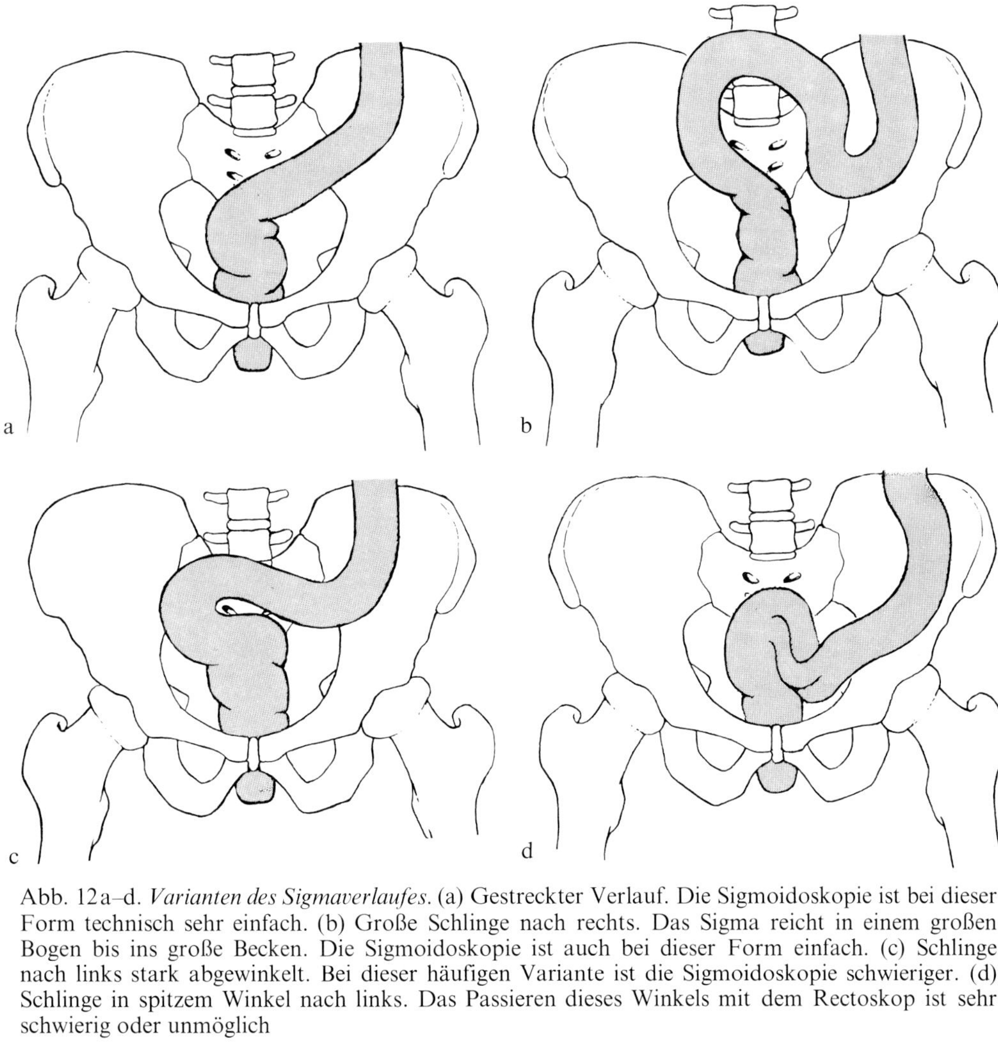

Abb. 12a–d. *Varianten des Sigmaverlaufes.* (a) Gestreckter Verlauf. Die Sigmoidoskopie ist bei dieser Form technisch sehr einfach. (b) Große Schlinge nach rechts. Das Sigma reicht in einem großen Bogen bis ins große Becken. Die Sigmoidoskopie ist auch bei dieser Form einfach. (c) Schlinge nach links stark abgewinkelt. Bei dieser häufigen Variante ist die Sigmoidoskopie schwieriger. (d) Schlinge in spitzem Winkel nach links. Das Passieren dieses Winkels mit dem Rectoskop ist sehr schwierig oder unmöglich

Ampulla recti: Die Schleimhaut ist glatt, hell und von einem feinen Adernetz durchzogen (Tafel I/1). Der Füllungszustand der Gefäße kann durch psychische Faktoren, Irritationen, durch Einlauf- oder Abführmittel und Spastik beeinflußt werden. Eine vermehrte Füllung darf daher nicht mit Entzündung gleichgesetzt werden (Tafel I/2). Drei Falten, plicae transversales, durchziehen bei ca. 7, 9 und 11 cm halbkreisförmig das Rectum (*Houstensche oder Kohlrauschsche Falten*).

Recto-sigmoidaler Übergang: Die für diesen Übergang charakteristische Abwicklung des Darms liegt konstant bei 15 (14–16) cm. Der Winkel ist vielen individuellen Variationen unterworfen.

Sigma: Das Erscheinungsbild von Rectum und Sigma kann je nach Tonuslage stark variieren. Meist ist die Rectumampulle glatt, das Sigma enthält dagegen in der Regel hirnwindungsartige Falten. Es kann bei herabgesetztem Tonus jedoch ebenfalls rohrförmig mit einigen halbkreisartig verlaufenden Falten erscheinen. Dieses Verstreichen der Falten läßt sich mitunter auch dadurch erreichen, daß man nach Verschließen des Rectoskops mit

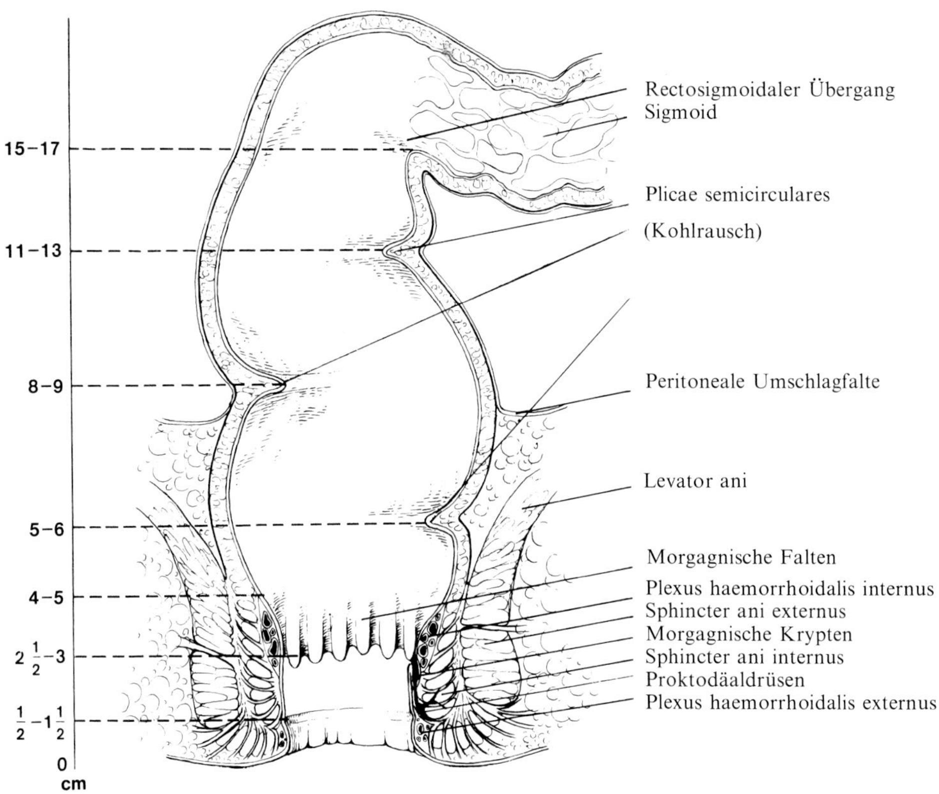

Abb. 13. *Topographie des Anorectums*

Abb. 14a–d. *Schematische Darstellung der rectoskopischen Position im Vergleich mit dem endoskopischen Bild.* (a) Einführen des Rectoskopes in Richtung Bauchnabel: Blick auf 2 halbkreisförmige Falten, Houstonsche oder Kohlrauschsche Falten; vorderer Teil der Ampulla recti. (b) Senken des Griffes: Blick in die Ampulla recti, hinterer Anteil. (c) Heben des Griffes: Recto-sigmoidaler Übergang bei 15 cm. (d) Weiterschieben des Rectoskopes: hirnwindungsartige Sigmafalten ▷

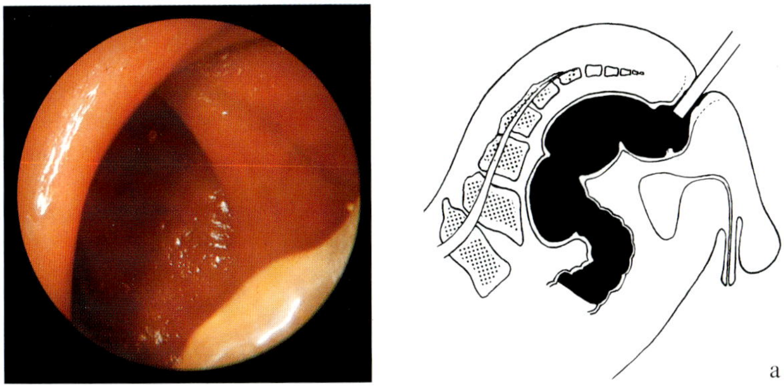
a

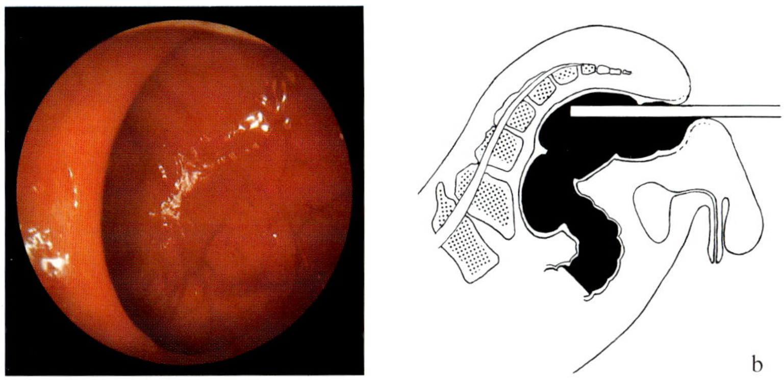
b

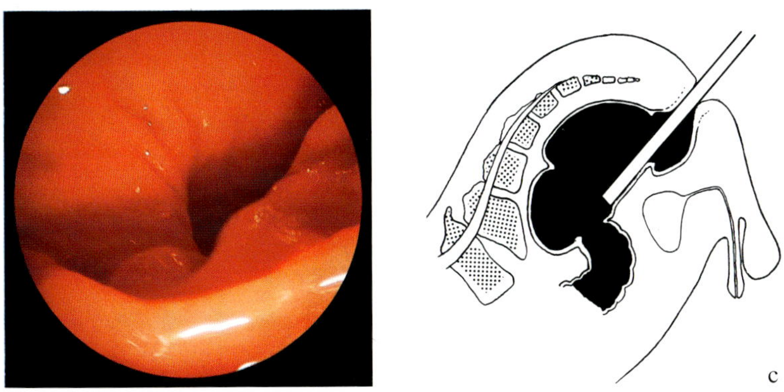
c

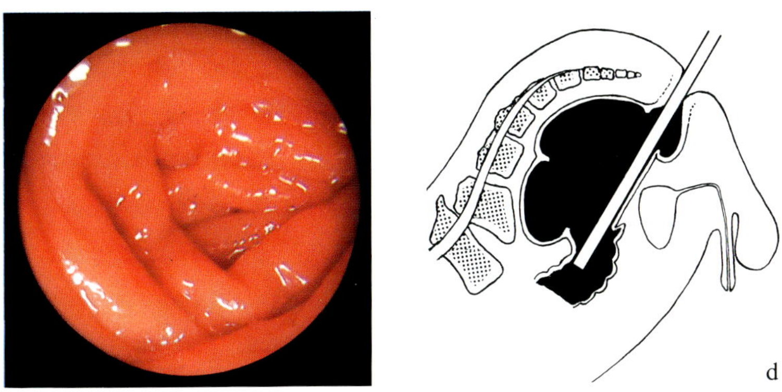
d

einem Fenster durch Zusammendrücken eines angeschlossenen Ballons den intraluminalen Druck erhöht. Durch dieses Manöver lassen sich Elastizität und Verformbarkeit der Darmwand beurteilen („*Pneumokinetische Endoskopie*").

Die eigentliche diagnostische Untersuchung erfolgt im Zurückgehen unter kreisenden Bewegungen des Griffs, damit alle Bezirke beurteilt werden. „*Blinde Stellen*" finden sich dorsal unmittelbar hinter der *Linea dentata*. Diese Region ist jedoch noch dem Finger zugängig. Zum anderen können sich pathologische Befunde, besonders kleinere Tumoren, hinter den halbkreisförmigen Plicae transversales verbergen.

10.4. Artifizielle Läsionen bei der Vorbereitung und Untersuchung

Artifizielle Läsionen können durch unsachgemäß durchgeführte Einläufe verursacht werden. Diese Läsionen stellen sich häufig als halbkreisförmige „*blutende Linien*" dar. Die Berührung der Schleimhaut durch das Instrument kann zu kleineren Blutaustritten führen, besonders wenn zur Überwindung des recto-sigmoidalen Übergangs leichter Druck angewendet werden muß. Dieser Befund ist ohne Bedeutung und darf nicht mit der vermehrten Verletzlichkeit bei Colitis ulcerosa verwechselt werden, bei der bereits leichteste Berührung mit dem Tupfer zu Blutungen führt.

Beim Einführen von *Thermometern* oder *Klysmen* zur Darmsäuberung kann es zur Ausbildung von kleinen Ulcera oder Erosionen kommen, die in der Regel ventral in der Mittellinie gelegen sind (Tafel I/3–5).

10.5. Nebenbefunde

10.5.1. Melanosis coli

Bei chronischem Abusus pflanzlicher Laxantien nimmt die Schleimhaut eine *braunschwarze Farbe* an, sie ist meist *gefeldert oder leopardfellähnlich gefleckt* (Tafel II/1 u. 2). Bei leichten Formen scheinen lediglich die Lymphfollikel weißlich durch die Schleimhaut. Das endoskopisch sehr eindrucksvolle Bild hat an sich keinen Krankheitswert und ist reversibel. Bei *langjährigem Laxantienabusus* kommt es allerdings zur Schädigung der Ganglienzellen, der Muscularis mucosae und propria und zur Darmatonie. *Die Melanose sollte Anlaß sein, die schädlichen Folgen des Laxantienmißbrauchs dem Patienten klar zu machen.*

10.5.2. Colica mucosa

Die Angabe des Patienten, daß Schleim oder *zusammenhängende Schleimmembranen* abgehen, ist nicht selten die Indikation zur Rectoskopie. Bei der zugrunde liegenden *Colica mucosa* sieht man eine vermehrte Schleimbildung, mitunter wirkt die Schleimhaut etwas ödematös. Diese Veränderungen können als Reizzustand des Colons gelten, die aber nicht identisch mit einer Entzündung sind. Daher ist die Bezeichnung *„Colitis" mucosa falsch.*

10.6. Biopsie

10.6.1. Zangenbiopsie

Gezielte Biopsien aus *umschriebenen Veränderungen* werden mit der Zange entnommen.

Schleimhautbiopsien mit der Zange werden am besten aus den kreisförmig verlaufenden Falten entnommen. Die Entnahme aus der ebenen Schleimhaut ist häufig schwierig. Die Tiefe der Biopsie ist dabei schwer abzuschätzen. Die Zangen schneiden nicht scharf, so daß die Biopsiepartikel abgedreht werden müssen.

Bei *diffusen* Schleimhauterkrankungen (z.B. Entzündungen und Amyloidose) ist die *Saugbiopsie* vorzuziehen.

10.6.2. Saugbiopsie (Tafel I/6)

Mit der *starren Biopsiesonde* nach Heinkel ist es mitunter schwierig, die Saugöffnung der Biopsiekapsel an die Schleimhaut anzulegen. Dies gelingt leichter mit der *elastischen Biopsiesonde* nach Ewe (Abb. 7b).

Die Biopsiesonde wird an eine Saugpumpe mit einem Sog von ca. 500 mmHg angeschlossen und in das Rectoskop eingeführt. Bricht das zischende Sauggeräusch ab, ist die Schleimhaut in die Biopsieöffnung eingesogen und der Schneidevorgang wird ausgeführt. Der Sog kann auch durch eine 50 oder 100 ml Spritze erzeugt werden.

10.7. Komplikationen

10.7.1. Perforationen

Perforationen mit der Saugbiopsiesonde wurden bisher nicht beschrieben. *Mit der Zangenbiopsie sollten Schleimhautpartikel möglichst aus der Hinterwand distal des recto-sigmoidalen Überganges entnommen werden.* Bei Biopsie aus hohen Regionen kann es vereinzelt zu Penetrationen mit Durchwanderungsperitonitis kommen, besonders wenn wegen einer Nachblutung coaguliert werden muß. Eine konservative antibiotische Behandlung reicht in diesen Fällen meist aus.

Für die *Rectoskopie wird die Komplikationsrate mit 1:10000–20000 angegeben,* wobei die Perforationen im Vordergrund stehen.

10.7.2. Blutungen

Blutungen nach Biopsien sind meist harmlos und konservativ zu beherrschen.

Praktisches Vorgehen: Die meisten Blutungen lassen sich durch Kompression mit einem *adrenalingetränkten Wattebausch* stillen. Steht die Blutung nicht unter dieser Maßnahme, muß *coaguliert* werden. Manche Biopsiezangen haben einen isolierten Schaft und können zur Elektrocoagulation verwendet werden. Nur in Ausnahmefällen wird eine chirurgische Gefäßumstechung notwendig. In allen Fällen sind blutstillende Maßnahmen leichter durchzuführen, wenn die Biopsie nicht höher als 8–10 cm oberhalb des Anus durchgeführt wird.

10.8. Polypenabtragung (Abb. 15)

Kleine Polypen bis zu 0,5 cm Durchmesser *können* mit der Biopsiezange, größere *müssen* mit der Schlinge abgetragen werden. Gestielte Polypen können in der Regel ambulant abgetragen werden. Bei *breitbasigen, über 2 cm großen Polypen erfolgt die Abtragung unter stationären Bedingungen, weil die Gefahr der Nachblutung mit der Polypengröße zunimmt.*

Eine besondere Vorbereitung des Patienten ist normalerweise für Polypektomie im Rectum-Sigma-Bereich nicht erforderlich (s. 4.3.). Der Polyp wird eingestellt und die ausgefahrene Schlinge über den Polypen gelegt. Hierbei ist darauf zu achten, daß an der Basis keine Mucosa miterfaßt wird. Dies kann schwierig sein, wenn der Polyp groß ist und das Lumen des Rectoskopes ganz ausfüllt. Der Stiel sollte möglichst polypennahe durchtrennt werden (Abb. 15a), damit bei eventueller Nachblutung durch eine Nachresektion nochmals coaguliert werden kann (Tafel XV/4 u. 6).

Die Schlinge sollte dann im *halbgeöffneten* Zustand in das Rectoskop gezogen werden, um von der Mucosa freizukommen. Erst dann wird die Schlinge langsam zugezogen und der Strom eingeschaltet. Stellt sich heraus, daß Polypenreste zurückgeblieben sind, kann man in einem weiteren Arbeitsgang diese Residuen immer noch abtragen. Der durch die Abtragung und die Coagulation entstehende Defekt ist in der Regel in 2 Wochen abgeheilt. Zu diesem Zeitpunkt sollte der Patient rectoskopisch kontrolliert werden.

Literatur

Melanosis coli

Buie, L.A.: Practical Proctology, 2nd Ed. Springfield/Ill.: C.C. Thomas 1960.

Henning, N.: Über die Melanosis coli. Z. Gastroenterologie **7**, 71 (1970)

Wittoesch, J.H., Jackman, R.J., McDonald, J.R.: Melanosis coli: General Review and Study of 887 Cases. Dis. Colon Rect. **1**, 172 (1958).

Biopsie, Komplikationen

Andresen, A.F.R.: Perforations from Proctoscopy. Gastroenterology **9**, 32 (1947).

Euler, J., Simma, W.: Instrumentell perforierte Verletzungen des Rektums. Phlebol. u. Proktologie **4**, 277 (1975).

Ewe, K.: Technische Fortschritte und Demonstration auf dem Gebiet der Rectoscopie. Mat. Med. Nordmark **19**, 593 (1967).

Haas, P.A.: Darmperforation bei der Proktoskopie. Zbl. Chir. **84**, 1207 (1959).

Heinkel, K.: Die Endoskopie und Probeexzision des Enddarmes. Bibl. gastroent. **5**, 309 (1962).

Heinkel, K., Elster, K., Henning, N., Landgraf, J.: Die Saugprobeexzision aus dem Rektum. Methodik und morphologische Ergebnisse. Klin. Wschr. **38**, 578 (1960).

Morson, B.C.: Rectal Biopsy in Inflammatory Bowel Disease. New. Engl. J. Med. **287**, 1337 (1973).

Neiger, A.: Atlas der praktischen Proktologie. Bern/Stuttgart/Wien: Huber 1973.

Polypenabtragung

Buie, L.A.: Practical Proctology, 2nd Ed. Springfield/Ill.: C.C. Thomas 1960.

Dietrich, K.F.: Proktologie für die Praxis. München: J.F. Lehmann 1969.

Jackman, R.J., Beahrs, O.H.: Tumors of the Large Bowel. Vol VIII in series MPCS. Phil./London/Toronto: W.B. Saunders 1969.

Neiger, A.: Atlas der praktischen Proktologie. Bern/Stuttgart/Wien: Huber 1973.

Nesselrod, J.P.: Clinical Proctology. Phil./London: W.B. Saunders 1957.

11. Coloskopie

11.1. Instrumente — Endoskope

Für die Untersuchung des Dickdarmes mit flexiblen Instrumenten stehen *kurze* (Nutzlänge 650–1050 mm) für die *Sigmo-*

Abb. 15a–e. *Schematische Darstellung korrekt (a) und inkorrekt (b–e) durchgeführter Polypenabtragung mittels einer Elektroresektionsschlinge.* (a) Die Schlinge wird an der optimalen Region des Polypenstiels angelegt. (b) Falsche Schlingenlage in der Mitte des Polypen — Gefahr der starken Blutung durch Eröffnung eines oder mehrerer Polypengefäße. (c) Schlinge zu nahe an der Stielbasis angelegt; falls Blutung nach Resektion auftritt, ist eine erneute Coagulation der Resektionsstelle nur schwer oder kaum durchzuführen. (d) Darmwandanteil von der Schlinge miterfaßt; Perforation während des Resektionsvorganges. (e) Bei Wandkontakt des Polypen während der Elektroresektion besteht Gefahr einer Perforation an der Kontaktstelle

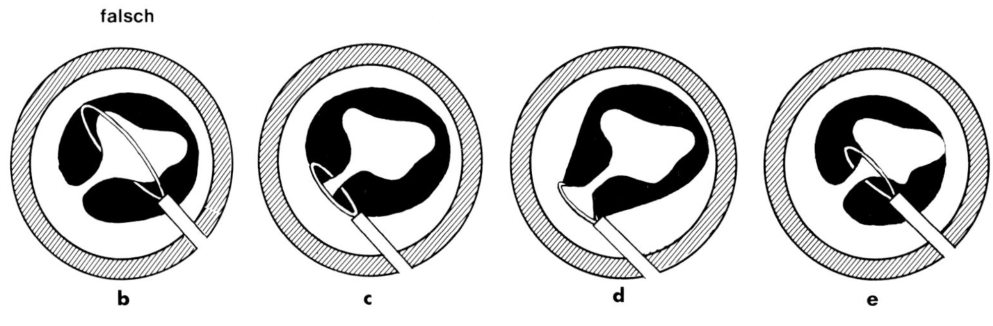

Tabelle 1. Technische Daten der im Handel befindlichen Sigmoido-Coloskope

Type	Olympus[a]		ACMI[a]			Machida[a,b]		Wolf [a,b]			Storz[b]
	CF/MB_3	CF/LB_3	F-91-S	F-9-S	F-9-L	FCS-M	FCS	Recto-Sigmoidoskop nach Otto 7893	Sigmoido-skop 7891	Coloskop 7895	Fiberskop 13210
Nutzlänge (mm)	1115	1865	650	1050	1650	740	1830	750	950	1700	1250
Distaler Durchmesser (mm)	13,5	13,5	15	15	15	14,5	14,5	15,5–13,5 konisch	15,5–13,5 konisch	15,5–13,5 konisch	12
Gesichtsfeld (°)	85	85	75	75	75	60	60	70	70	70	60
Abwinklung (°)	180↕ 160↔	180↕ 160↔	150	180	180	120	120	180↕ 160↔	180↕ 160↔	180↕ 160↔	180↕ 90↓ 90↔
up – down (1. Ebene)	+	+	+	+	+	+	+	+	+	+	+
rechts – links (2. Ebene)	+	+	+	+	+	+	+	+	+	+	+
Tiefenschärfe (mm)	10–100	10–100	7–100	6–100	6–100	7–45	7–45	5–∞	5–∞	5–∞	3–∞
Luftinsuff. (automatisch)	+	+	+	+	+	–	–	–	–	–	–
Saugen (automatisch)	+	+	+	+	+	–	–	–	–	–	–
Saugen und Spülen (automatisch)	+	+	–	–	–	–	–	–	–	–	–

[a] Diese Firmen liefern Doppelkanalgeräte, speziell zur coloskopischen Polypektomie zu gebrauchen:
Olympus: TCF/2L (langes Instrument).
ACMI: F-9-R (kurzes Instrument); F-9-A (langes Instrument), dabei vergrößert sich der distale Gerätedurchmesser auf 18 mm.
Machida: FCS-MW (kurzes Instrument); FCS-W (langes Instrument). Wolf Katalog Nr. 7892 (kurzes Instrument).
[b] Diese Firmen liefern zusätzlich Luftinsufflations-, Spül- und Saugpumpen:
Machida AWS (Air water suction supply); Storz Katalog Nr. 13240; Wolf Katalog Nr. 20 10.000 + 20 30.31; ACMI 710 air/water source for TFX-Coloscope (TX Geräte der neuen Serie besitzen Doppelradknöpfe zur Bewegung der Gerätespitze wie Olympus-Geräte).

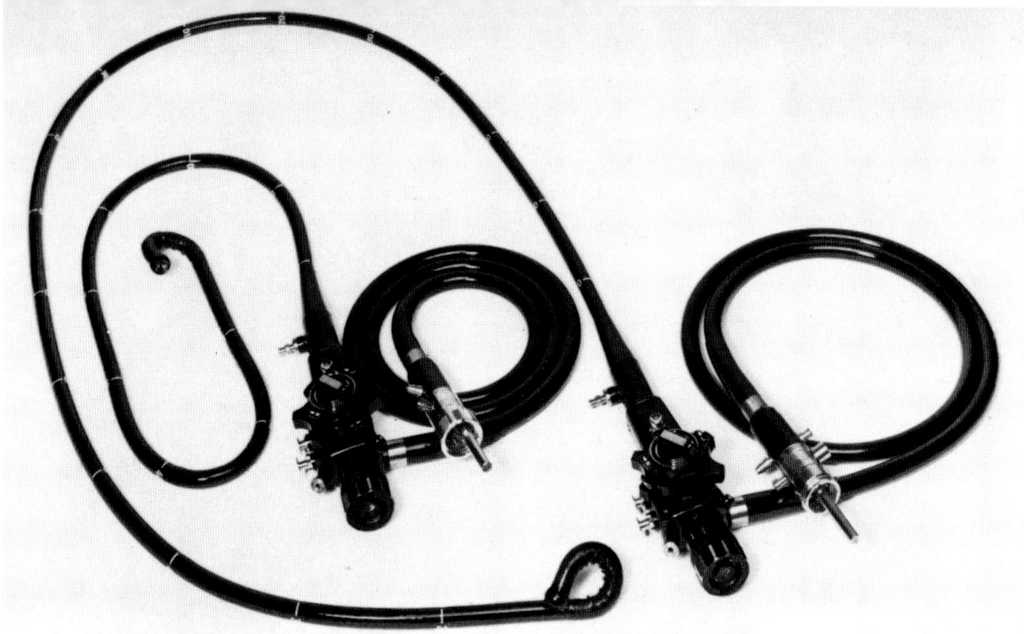

Abb. 16. *Coloskope* CF/MB$_3$ und CF/LB$_3$ der Fa. Olympus/Hamburg

idoskopie und *lange* (Nutzlänge 1250–1865 mm) für die *Coloskopie* zur Verfügung. Für die Bedürfnisse und Möglichkeiten der Praxis dürfte man mit dem Sigmoidoskop auskommen. Für Praxiszwecke eignen sich besonders wegen ihrer guten Manipulierbarkeit Kurzsigmoidoskope mit einer Nutzlänge von 650 bzw. 750 mm (F91 S, Fa. ACMI*; TCF-IS, Fa. Olympus; Recto-Sigmoidoskop nach Otto, Fa. Wolf). Die hohe Coloskopie sollte der Klinik aus technischen und personell-zeitlichen Gründen vorbehalten bleiben.

Auf dem Markt angeboten werden derzeit Instrumente von drei ausländischen und zwei deutschen Firmen. Einzelheiten der gebräuchlichen Geräte sind in Tabelle 1 dargestellt. Für eine optimale Untersuchung ist die Möglichkeit der Abwinkelung der Gerätespitze in zwei Ebenen zu fordern (Abb. 18), weil nur so die Passage in den Sigmawindungen ohne weitere Hilfsmittel (Guide) und eine optimale Beurteilung aller Schleimhautareale möglich werden.

Optimal ausgerüstet sind die Geräte der Fa. *Olympus* (Abb. 16), bei denen *Luftinsufflation, Spülung* und *Absaugung automatisch vom Gerätekopf* aus durch zwei handliche Trompetenventile betrieben werden können. Bei den *ACMI-Geräten* (Abb. 17) muß die Spülung von einer Hilfskraft durchgeführt werden. Den *Machida-, Wolf-* (Abb. 18) und *Storz*-Geräten fehlt jegliche automatische Bedienung. Es werden jedoch zusätzlich Luftinsufflations-, Saug- und Spülpumpen-Apparaturen angeboten.

Die optischen Qualitäten der genannten Instrumente sind als gut bis hervorragend zu bezeichnen.

Vorteilhaft ist sicherlich die — wenn auch bisher geringe — Möglichkeit der Abwinkelbarkeit der Biopsiezange des doppelkanaligen Olympus-Gerätes vom Typ *TCF/2L*. Der zweite Instrumentierkanal in den Geräten der neueren Generation kann für die endoskopische Polypektomie von Nutzen sein.

11.2. Zusatzgeräte

a) „Teaching attachment“ (Demonstrationsaufsatz): lieferbar für *Olympus-, ACMI- und Wolf-Instrumente!* Wird zur

---
* American Cytoscope Makers Inc.

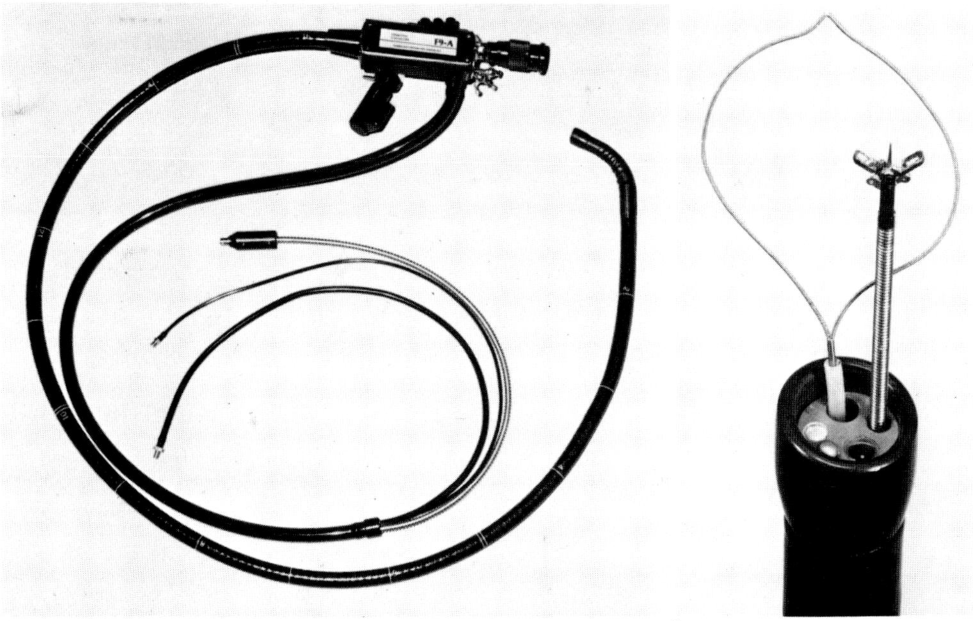

a b

Abb. 17a u. b. (a) *Coloskop* F-9-A der Fa. ACMI München. (b) Distales Ende des doppelkanaligen Coloskops F-9-A mit ausgefahrener Hochfrequenzdiathermieschlinge (oval) und Standardbiopsiezange

Sigmoid-Coloskopie für die das Instrument einführende und vorschiebende Assistenz benutzt (s. 11.3. u. Abb. 19).

b) Stabilisierungssonden: Zur Versteifung des Coloskops nach Begradigung der Sigmaschleife und zur besseren Kraftüber-

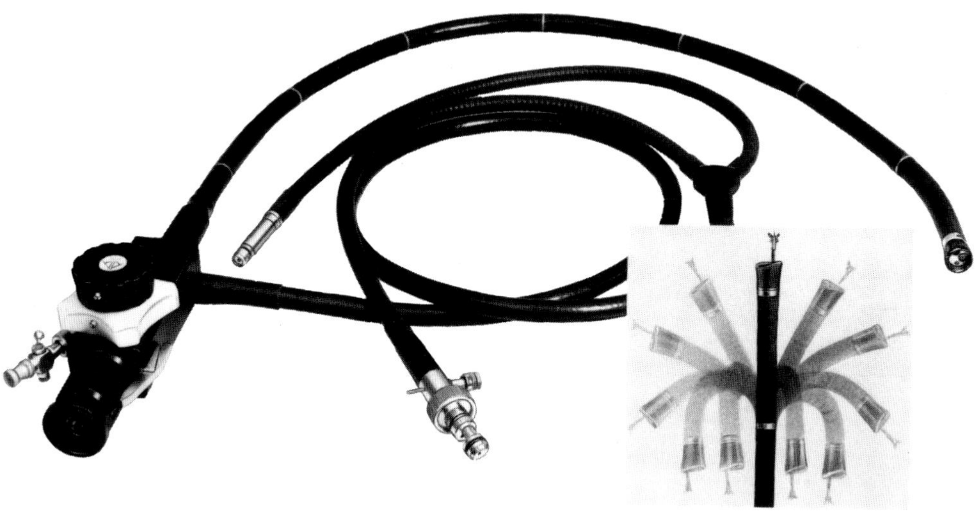

Abb. 18. *Recto-Sigmoidoskop nach Otto* (7893 der Fa. Wolf/Knittlingen). Gleiche Spitzenbeweglichkeit ist bei den Olympus-, ACMI-, MACHIDA- und STORZ-Geräten gegeben

tragung auf die Instrumentenspitze (erhältlich bei *ACMI*) (Abb. 20).

c) Kunststofftubus: 40 cm langer, über das begradigte Coloskop schiebbarer Kunststofftubus zur Aufrechterhaltung der begradigten Sigmaschleife (*Olympus*) (Abb. 20).

d) Probeexcisionszangen: Zur gezielten Biopsie (*Olympus, ACMI, Machida, Wolf, Storz*) (Abb. 23).

e) Nylonbürste zur *Materialgewinnung für cytologische Untersuchungen.*

f) Instrumentarium zur Polypektomie: Hochfrequenzdiathermieschlingen zur coloskopischen Polypektomie *(ACMI, Olympus, Storz, Wolf)* (Abb. 21, s. auch Abb. 17b).

Spiralenartige und *asymmetrische Schlingen* erscheinen dabei vorteilhafter gegenüber einfachen Drahtschlingen, weil sich zum einen die Polypen damit leichter einfangen lassen und zum anderen beim Ektomieren ein langsameres Abschnüren des Polypenstiels zu erreichen ist, wodurch

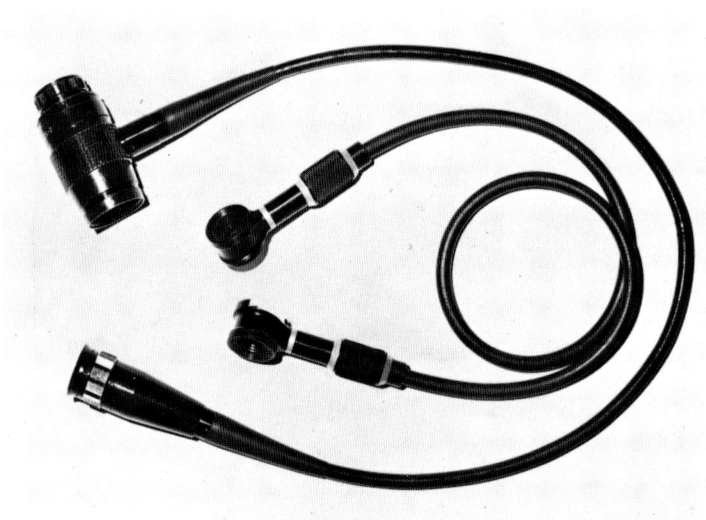

Abb. 19. „*Teaching attachment*" (Demonstrationsaufsatz) der Firmen Olympus (außen) und ACMI (innen)

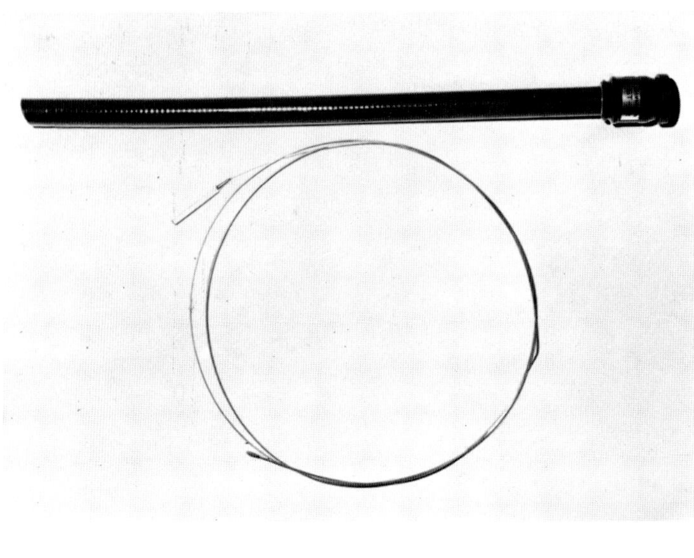

Abb. 20. *Stabilisierungssonde* zur Coloskopversteifung nach Sigmabegradigung (ACMI); gleiches Gerät von Wolf, Knittlingen lieferbar (unten); Versteifungstubus ST-C_3 Fa. Olympus (oben)

die Gefahr einer Nachblutung wesentlich geringer zu bewerten ist.

g) Polypengreifzange modifiziert nach Seifert zur Polypenbergung nach Ektomie (Abb. 22).

h) Hochfrequenzdiathermiegeräte (Erbe/Tübingen; Martin/Tuttlingen) ermöglichen die Mischung von Funkstrecken- und Röhrenstrom.

11.3. Untersuchungstechnik

Die Untersuchung erfolgt im Liegen. Für die Sigmoidoskopie empfehlen einige Untersucher auch die Knie-Ellenbogen- oder Knie-Brust-Lage.

Es empfiehlt sich, die Untersuchung *zu zweit* durchzuführen, wobei die *Assistenz* das Instrument langsam bei gleichzeitiger Beobachtung des Darmlumens mit Hilfe des *„Teaching attachment"* einführt (s. 11.2).

Für die hohe Coloskopie ist im allgemeinen die *Begradigung* des Instruments besonders *im Sigmabereich* erforderlich. Diese Manipulation muß unter Röntgenkontrolle durchgeführt werden. Für die alleinige Sigmoidoskopie ist die Röntgenuntersuchung entbehrlich, wobei dann allerdings die exakte Lokalisation möglicher

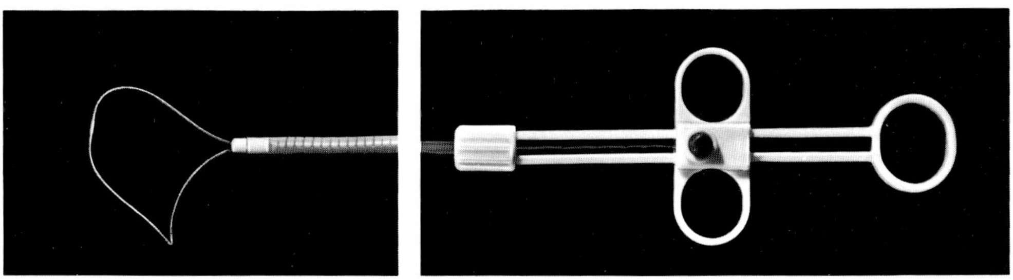

Abb. 21. *Hochfrequenzdiathermieschlinge* (exzentrisch) (Fa. Olympus/Hamburg)

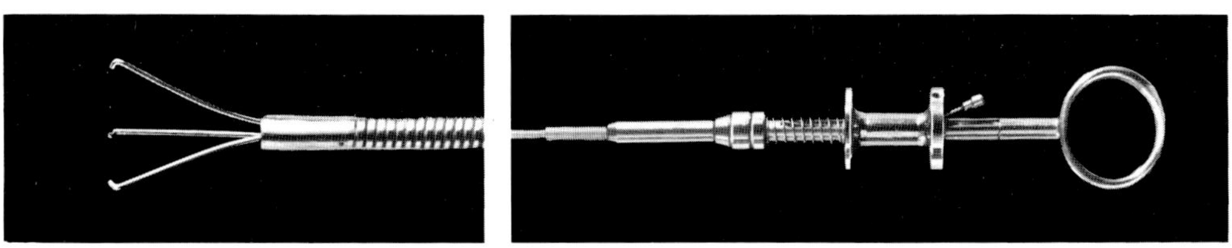

Abb. 22. *Polypengreifzange* (Fa. Olympus/Hamburg)

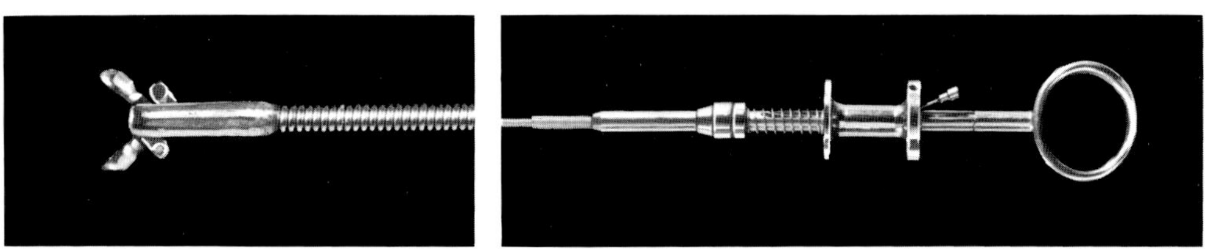

Abb. 23. *Standardbiopsiezange* mit ovalen Löffeln (Fa. Olympus/Hamburg). Entsprechendes Instrumentarium ist auch von ACMI, Machida, Wolf und Storz lieferbar

pathologischer Befunde problematisch werden kann.

Die *Hauptschwierigkeit* der Coloskopie liegt in der Sigmapassage. Dabei wird, weil die Lumenübersicht wegen der Schlingenbildungen verlorengeht, oft *blind* vorgeschoben. Wichtig ist, daß dabei die Schleimhaut unter Beibehaltung ihrer rötlichen Farbe und Gefäßzeichnung am Gerät *„vorbeigleitet"*. Wird die Mucosa *hellrot* bis *blaß* oder klagt der Patient über *Schmerzen* muß das Instrument unverzüglich so weit zurückgezogen werden, bis der Schmerz nachläßt und das Lumen überschaubar wird. *Die Schmerzen werden durch Zug am Mesosigma verursacht.* Kenntnisse der beiden Grundtypen der Sigmaverläufe (*häufige Eta-* und wesentlich *seltenere Sigmaform*) erleichtern die Begradigung des Instruments und ersparen dem Patienten Schmerzen (Schema, Abb. 24).

Die Entfaltung des Darms wird durch Luftinsufflation und rotierende Lagerung des Patienten um seine Längsachse erreicht. Zur Vermeidung von Abdominalspasmen sollte die insufflierte Luftmenge so gering wie möglich gehalten werden. Außerdem lassen sich Schleifenbildungen zu *prall* gefüllter Darmschlingen nur *schwer „aufdrehen"*.

Die partielle Versteifung des *begradigten* Geräts sollte im Sigmabereich durch eine *Stabilisierungssonde* oder durch Einführung eines 40 cm langen *Kunststofftubus* über das begradigte Coloskop angestrebt werden.

Dem geübten Untersucher gelingt es im Mittel in 30 min, den Coecumpol zu erreichen. Die Ileocoecalklappe läßt sich

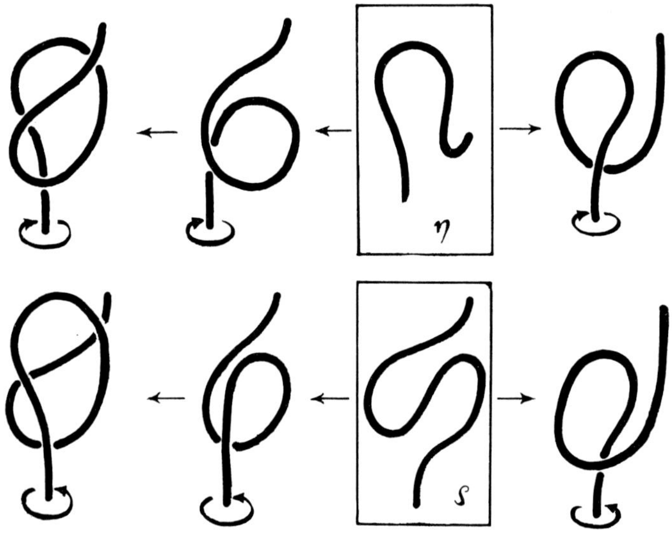

Abb. 24. *Schematische Darstellung der beiden Grundformen des Sigmas* (η und ρ-Form umrandet) und sich daraus ableitende Sigmaverläufe. Zur Gerätebegradigung sollte die Gerätespitze zumindest das mittlere Colon descendens besser aber die linke Flexur passiert haben, damit das Gerät im distalen Colon transversum wie ein Spazierstock eingehängt und die Begradigung durch Drehen des Instrumentes um seine Achse bei gleichzeitiger Aufdrehung der Sigmaschleifen und Zug am Gerät ermöglicht wird. Nach der Begradigung sind vorher geklagte Schmerzen immer schlagartig beseitigt, weil der Zug am Mesosigma aufgehoben wird. Bei etaförmigem Sigmaverlauf läßt sich das Gerät nur dann ins Colon descendens oder zur linken Flexur vorführen, wenn die Gerätespitze aus dem Colon descendens 20–30 cm ins Rectum zurückgezogen und entgegen dem Uhrzeiger gedreht wird. So wird die Eta- zur Alpha-Form, die eine bessere Kraftübertragung auf die Gerätespitze ermöglicht

am besten einsehen und passieren durch Abwicklung der Gerätespitze nach medial oder durch Inversion am Coecumpol.

Die genaue Inspektion und Gewebeentnahme sollten zweckmäßigerweise erst nach Erreichen angestrebter Colonregionen beim „*Zurückspiegeln*" erfolgen. Die Biopsiezange läßt sich nur bei weitgehend begradigtem Instrument ausfahren und öffnen.

Das endoskopische Bild des Colonlumens ist durch verschiedene anatomische Gegebenheiten charakterisiert (Abb. 25a–h). Die durch das pararectale Bindegewebe fixierte Rectumampulle stellt sich nach Durchtritt des Instruments durch den Analkanal als *zylindrisch* geformtes Lumen mit Kulisse der Kohlrauschschen Falte dar (Abb. 25a). Nach der Rectumpassage wird die Gerätespitze durch die scharfe Abwinklung des Darms im rectosigmoidalen Übergang aus einer *zentralaxialen* Lage im Darm herausgedrückt. Die Instrumentenspitze gelangt in unmittelbarer Nähe der Darmwand, so daß dem Untersucher der „*Lumeneindruck*" verlorengeht (Abb. 25b), also quasi eine „*blinde Zone*" resultiert. Ein Herausführen des Instruments aus der Sigmaschleife läßt sich durch die an der Instrumentenspitze auftauchende *halbmondförmige* Lumenstruktur beweisen (Abb. 25c).

Nach Überwindung des *Sigma-Descendens-Übergangsbereichs* stellt sich das Gerät erneut zentral im Darmlumen ein. Dabei resultiert ein *zylindrisches* Darmlumen (Abb. 25d). Das *Colon descendens* ist gestreckt und retroperitoneal fixiert, so daß zur Lumendarstellung nur minimale Luftinsufflation notwendig ist. Die anatomisch bedingte scharfe Abwinklung des Colons im Bereich der *linken* und *rechten Flexur* bewirkt eine Verschiebung des Instruments aus der *zentralen* Lumenachse. Besonders die linke Flexur imponiert fast immer als *kuppelförmiges Dach* (Abb. 25e), in dem sich das Instrument zunächst verfängt, um sich dann in das Lumen des Transversums einzufädeln (Abb. 25f).

Die anatomische Fixierung des *Colon ascendens* zeigt das gleiche endoskopische *triangelförmige Bild* des Lumens wie im Bereich des *Colon descendens*. Im gestreckten und weit gestellten *Colon ascendens* fällt der Blick in den *Blindsack* des Coecums, wobei meistens der *Coecumpol* durch auf einen Punkt hin *konvergierende* Falten charakterisiert ist (Abb. 25g).

11.4. Polypektomie

Über die präcanceröse Natur von adenomatösen Colonpolypen besteht heute kaum noch Zweifel. Es sollten daher alle Colonpolypen entfernt werden. Die bioptisch gewonnene Gewebeprobe ist oft *nicht* repräsentativ für das Gesamtgebilde und läßt eine sichere pathologisch-histologische Aussage nicht zu. Besonders für polypoide Läsionen ist deshalb zu deren Klassifikation ihre *in toto-Entfernung* zu fordern. Der ektomierte Polyp sollte möglichst geborgen werden. Dazu kann man Biopsiezangen, spezielle Greifer verwenden. Häufig läßt sich jedoch der Polyp an die Spitze des Instruments ansaugen und mit ihm gemeinsam herausziehen, oder aber der Polyp wird durch *provozierte Defäkation* nach einem *1 × Klysma* geborgen.

11.4.1. Technik der Polypektomie (Abb. 15)

Der Polyp wird möglichst „*zentral*" eingestellt und die eingezogene Schlinge durch den Instrumentierkanal eingeführt. Die Schlinge wird dann maximal ausgefahren und zunächst über die Polypenkuppe zur Basis geführt und so weit zurückgezogen, bis der Polyp selbst sich livide verfärbt. Dabei muß darauf geachtet werden, daß zwischen Schlinge und Darmwand *genügend (2–5 mm) Sicherheitsabstand* gewahrt ist, weil es sonst unter der Elektroresektion zur Perforation kommen kann.

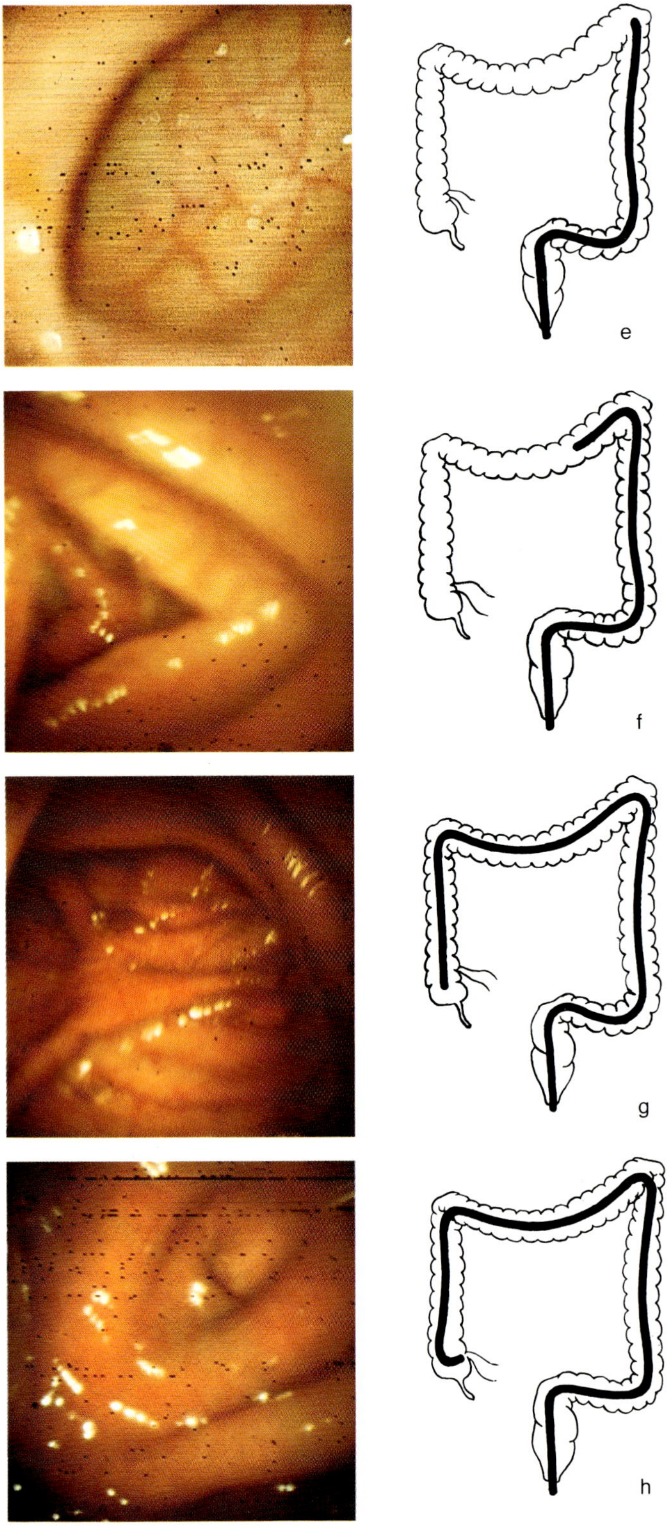

Abb. 25a–h. *Endoskopische Orientierungspunkte im Colon*; zur Verdeutlichung sind den endoskopischen Bildern die entsprechenden Positionen der Gerätespitze schematisch gezeichnet gegenübergestellt

(a) Rectum: kulissenartige Faltenanordnung in der Rectumhöhle.

(b) „Blinde Zone" im rectosigmoidalen Übergang, „Lumeneindruck" geht verloren, weil die Gerätespitze durch die scharfe Abwinklung des Geräts aus seiner zentral-axialen Lage herausgedrückt wird und sich die Instrumentenspitze der Darmwand nähert. Ein Hinaufführen der Instrumentenspitze läßt sich durch die an der Optik vorbeigleitende Schleimhatu beweisen.

(c) Halbmondförmiges Lumen im Übergangsbereich vom Sigma zum Colon descendens.

(d) Zylindrisch triangelförmiges Darmlumen im Colon descendens, bedingt durch retroperitoneale Fixierung dieses Colonabschnitts.

(e) „Kuppel und 2. blinde Zone" im Bereich der linken Flexur, bevor sich Gerät ins Colon transversum vorbewegt.

(f) Zylindrisch triangelförmiges Lumen im Colon transversum.

(g) Blick auf Blindsack des Coecumpols, charakterisiert durch punktförmige Faltenkonvergenz.

(h) Ileocoecalklappe, labiale Form

Abb. 25e–h

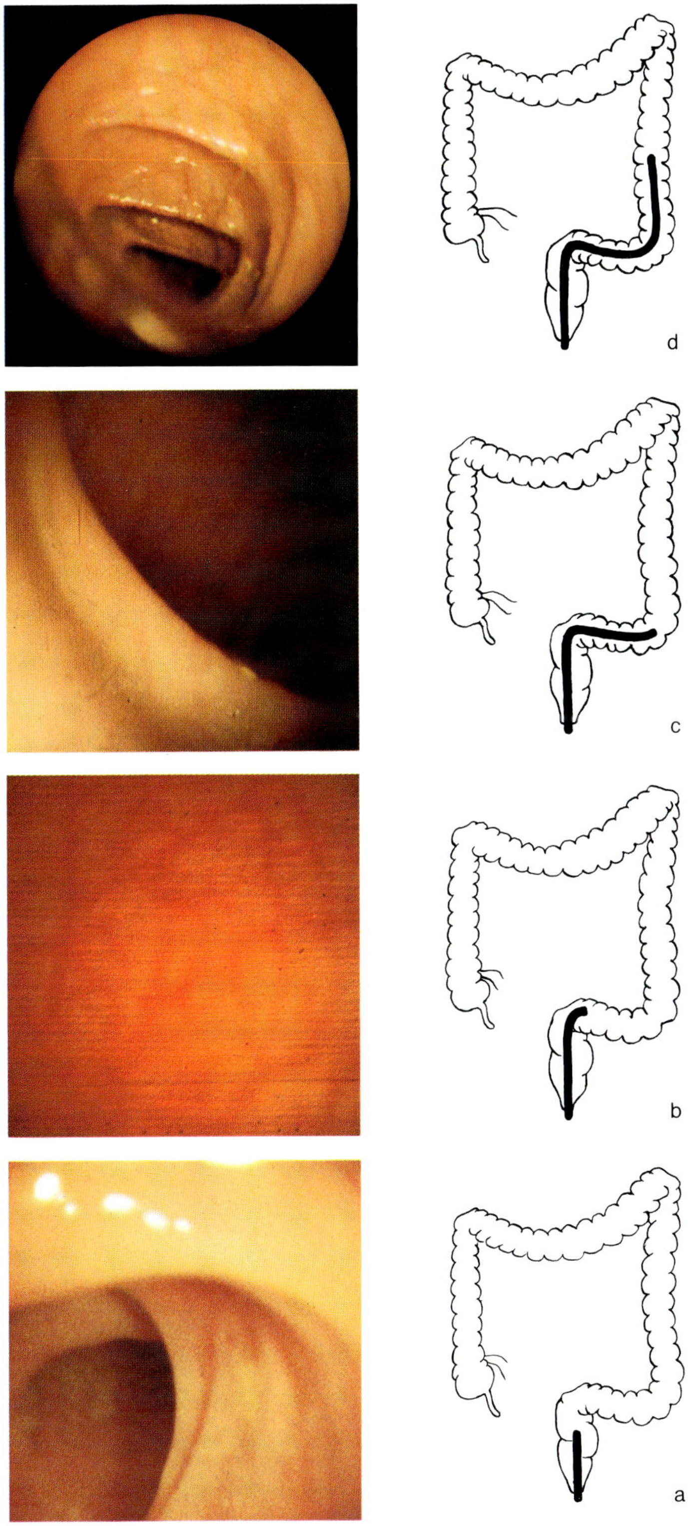

Abb. 25a–d

Die Schlinge sollte möglichst weit zu verfolgen sein, weil nur so ein folgenschwerer Wandkontakt zu vermeiden ist. Unter Stromgabe wird die Schlinge weiter langsam so weit zugezogen, bis der Polypenstiel durchtrennt ist.* Das Hochfrequenzdiathermiegerät wird dabei auf Reglerstellung 3–4 gehalten. Um einer möglichen Explosion des im Colon eventuell vorhandenen *Methan-Sauerstoff-Gemischs* vorzubeugen, kann der Resektionsvorgang unter *Kohlendioxyd-* oder N_2-*Insufflation* durchgeführt werden, auf die aber bei gut gereinigtem Colon (*bakterielle Methanbildung*) verzichtet werden kann.

11.5. Komplikationen

11.5.1. Komplikationen bei der Sigmoido-Coloskopie

Komplikationen bei der diagnostischen Sigmoido-Coloskopie sind selten. Die Komplikationsrate wird mit etwa 0,2% angegeben. Die häufigste Komplikation ist die Perforation. Zur Perforation kann es bei Untersuchung im akuten Stadium der *Colitis ulcerosa* oder des *Morbus Crohn* kommen. Perforiert wird zumeist im Bereich der Rectum-Sigma-Übergangszone oder an den Flexuren, weil in diesem Bereich blinde Zonen resultieren. Es ist deshalb zu beachten, daß bei nicht einsehbarem Lumen das „*Weißwerden*" der am Objektiv vorbeigleitenden Schleimhaut bei gleichzeitiger *Schmerzangabe* des Patienten als Hinweis auf eine drohende Perforation zu werten ist. Das Instrument muß dann *sofort* zurückgezogen werden. Eine weitere Möglichkeit zur Komplikation ist die *forcierte Luftinsufflation*. Sie führt im allgemeinen jedoch zu starken Abdominalspasmen, so daß dann sofort eingeleitetes Absaugen die Gefahr einer Zerberstung behebt. Besonders vorsichtige Luftinsufflation ist bei Untersuchung von Patienten mit Divertikulosen angezeigt, da Divertikelzerberstungen als häufigste Perforationsursache angegeben werden. Ursächlich für Perforationen kommen auch Durchstoßung des Divertikels durch die Biopsiezange in Frage. Notwendig werdende Biopsien aus stenotischen Colonanteilen bei der Divertikulose sind deshalb nur aus der Umgebung der Divertikelöffnungen und nicht aus dem Divertikelgrund vorzunehmen.

Extrem gefährlich für den Patienten ist die stumme Perforation, die zumeist von unerfahrenen Untersuchern übersehen wird und sich oft erst nach Stunden durch die spät sich entwickelnde Peritonitis mit entsprechender Schmerzsymptomatik bemerkbar macht.

Todesfälle an postoperativen Komplikationen nach Laparotomien infolge erfolgter Perforation oder aber an Infarkten und Lungenembolien wurden beobachtet, sind aber extrem selten (0,03%).

11.5.2. Komplikationen bei coloskopischer Polypektomie

Komplikationen, wie *Perforationen*, massive Blutungen aus dem Polypenstiel sowie *Brüche* der Polypenschnürer, sind selten und bei Beachtung folgender Gesichtspunkte zu vermeiden:

a) Anamnestisch und laborchemisch Gerinnungsstörungen ausschließen
b) Langsames Coagulieren des Polypenstiels (2 sec Dauer) — schnelles Zuziehen der Schlinge vermeiden
c) Alle Schlingenanteile vor Ektomievorgang genau übersehen
d) Entsprechenden Sicherheitsabstand der Schlinge von der Darmwand herstellen
e) Keine *sessilen* Polypen über max. 1 cm Durchmesser abtragen.

Die Komplikationsrate bei coloskopischer Polypektomie wird mit etwa 1,5% angegeben, dabei wird bei 0,5% der Ge-

* Die Stromapplikation soll in Stößen von ca. 2 sec Dauer erfolgen bis der Polyp abgetragen ist. Dazwischen sind einige Sekunden Pause einzulegen, so werden Hitzeschäden und die Gefahr der Perforation herabgesetzt

samtpolypektomien ein konsekutiv-operativer Eingriff notwendig. Die meisten Postpolypektomieblutungen kommen unter konservativen Maßnahmen – Transfusionen sind im allgemeinen nicht erforderlich – zum Stillstand. Die Letalität der transabdominalen Colotomie mit Polypektomie dagegen wird mit 1,5–2% angegeben.

Literatur

Azukani, P., Paoluzi, P., Capurso, L.: Endoscopy of the Colon. Proc. 1st. Europ. Congr. Digestive Endoscopy, Prague 1968, Basel/New York: Karger 1969.

Blankenhorn, D.H., Hirsch, J., Ahrens, E.H. Jr.: Transintestinal Intubation: Technique for Measurement of Gut Length and Physiologic Sampling at Know How. Proc. Soc. exp. Biol. (N.Y.) **88**, 356 (1955).

Bond, J.H. Jr., Levitt, M.D.: Factors Affecting the Concentration of Combustible Gases in the Colon During Colonoscopy. Gastroenterology **68**, 1445 (1975).

Demling, L., Classen, M., Frühmorgen, P.: Atlas der Enteroskopie. Berlin/Heidelberg/New York: Springer 1974.

Demling, L., Frühmorgen, P., Koch, H., Rösch, W.: Operative Endoskopie. Stuttgart-New York: Schattauer 1976.

Demling, L., Ottenjann, R.: Endoskopische Polypektomie im Gastrointestinaltrakt. Stuttgart: Thieme 1973.

Deyhle, P.: Flexible Stealwire for the Maintenance of the Straightening of the Sigmoid and Transverse Colon during Coloscopy. Endoscopy **4**, 36 (1972).

Deyhle, P.: A Plastic Tube for the Maintenance of the Sigmoid Colon during Coloscopy. Endoscopy **4**, 224 (1972).

Deyhle, P., Jenny, S., Säuberli, H.: Koloskopische Polypektomie – Résumé nach 300 Eingriffen. Z. Gastroenterol. **7**, 698 (1976).

Deyhle, P., Paul, F.: Die Endoskopie des proximalen Dickdarms. Therapiewoche **20**, 1803 (1970).

Deyhle, P., Seuberth, K., Jenny, S., Demling, L.: Endoscopic Polypectomy in the Proximal Colon. Endoscopy **2**, 103 (1971).

Fox, J.A., Kreel, L.: Technique of Retrograde Colonic Intubation and its Initial Application to High Colonic Biopsy. Gut **8**, 77 (1967).

Frühmorgen, P., Demling, L.: Koloskopische Polypektomie. Dtsch. med. Wschr. **98**, 1455 (1973).

Frühmorgen, P., Joachim, G.: Gas Chromatographic Analysis of Intestinal Gas to Clarify the Question of Inert Gas Insufflation in Electrosurgical Endoscopy. Endoscopy **8**, 133 (1976).

Frühmorgen, P., Zeus, J., Classen, M.: Klinische Wertigkeit der Koloskopie. In: Fortschritte der gastroenterologischen Endoskopie, Bd. 4, hrsg. v. H. Lindner, Baden-Baden/Brüssel: Witzstrock 1973.

Matsunaga, F., Tajima, T.: Diagnosis of Colon Polyps and Polyposis with the Fibercolonoscope. Vortr. Weltkongreß Gastroenterologie, Kopenhagen 1970.

Nagasako, K., Endo, M., Takemoto, F., Kondo, T., Kimura, K.: The Insertion of Fibercolonoscope into the Cecum and Direct Observation of the Ileocecal Valve. Endoscopy **2**, 123 (1970).

Nagasako, K., Takemoto, F.: Fibercolonoscopy without the Help of Fluoroscopy. Endoscopy **4**, 208 (1972).

Nagasako, K., Yazawa, C., Takemoto, F.: Observation of the Terminal Ileum. Endoscopy **1**, 45 (1971).

Ottenjann, R.: Colonic Polyps and Coloscopic Polypectomy. Endoscopy **4**, 212 (1972).

Otto, P.: Koloskopie, Sigmoidoskopie – Vergleich verschiedener Instrumente. In: Fortschritte der Endoskopie Bd. 4, hrsg. v. R. Ottenjann. Stuttgart/New York: Schattauer 1973.

Otto, P.: Die ambulante Sigmoidoskopie. Indikation, Technik und Ergebnisse. In: Ergebnisse der Angiologie, Bd. 6, hrsg. v. H. Gummrich und W. Nikolowski, Stuttgart/New York: Schattauer 1973.

Otto, P., Becker, H., Braschke, M., Huchzermeyer, H.: Zwischenfälle bei der koloskopischen Polypektomie. In: Fortschritte der Gastroenterologischen Endoskopie Bd. 6, hrsg. v. H. Lindner G. Witzstrock, Baden-Baden/Brüssel 1975.

Otto, P., Huchzermeyer, H.: Results in Coloscopic Polypectomy. Surgical Endoscopy, ed. E. Seifert, G. Witzstrock, Baden-Baden/Brüssel 1975.

Otto, P., Huchzermeyer, H., Müller, H.: Komplikationen bei der Coloskopie – Ergebnisse einer Umfrage an gastroenterologischen Zentren in der Bundesrepublik Deutschland. In: Fortschritte in der Endoskopie, Kongreß-Bericht 9. Kongr. dtsch. Ges. Endoskopie, München 1976. Erlangen: peri med 1976.

Otto, P., Huchzermeyer, H., Müller, H.: Erfahrungen bei 528 coloskopischen Polypektomien 10. Kongr. dtsch. Ges. Endoskopie, Essen 1977.

Otto, P., Paul, F., Töllner, D.: Gibt es endoskopische Orientierungspunkte im Kolon? In: Fortschritte der Endoskopie, Bd. 5, hrsg. v.

R. Ottenjann, Stuttgart/New York: Schattauer 1974.
Provenzale, L., Camerada, P., Revignas, A.: La coloscopia total transanale metodica originale. Rass. med. sarda **69**, 149 (1966).
Ragins, H., Shinya, H., Wolff, W.J.: The Explosive Potential of Colonic Gas During Colonoscopic Electrosurgical Polypectomy. Surg. Gynec. Obstet. **138**, 554 (1974).
Seifert, E.: A New Flexible Forceps for the Removal of Polyps from the Gastrointestinal Tract after Successful Endoscopic Polypectomy. Endoscopy **4**, 226 (1972).
Smith, L.E., Nivatvongs, S.: Complications in Colonoscopy. Dis. Colon Rect. **18**, 214 (1975).
Stadelmann, O., Miederer, S.E., Löffler, A., Müller, R.: Endoskopische Polypektomie – Durchführung, Indikationen, Ergebnisse. Fortschr. Med. **91**, 1149 (1973).
Torsoli, A., Arrullan, P., Paoluzi, P.: Transintestinal Intubation as Guidance Method for Colonic Biopsy, Endoscopy and Intraluminal Studies. In: Fortschritte der Endoskopie, Bd. I, hrsg. v. R. Ottenjann. Stuttgart/New York: Schattauer 1969.
Watanabe, H.: Fibercolonoscopy. Gastroenterologia Japonica **2**, 141 (1972).
Williams, C.B., Muto, I.: Examination of the Whole Colon with the Fiberoptic Colonoscope. Brit. med. J. **1972 III**, 278.
Williams, C.B., Muto, I., Rutter, K.R.P.: Removal of Polyps with the Fiberoptic Colonoscope: The New Approach to Colonic Polypectomy. Brit. med. J. **1973 I**, 451.
Wolff, W.I., Shinya, H.: Colonofiberscopic Management of Colonic Polyps. Dis. Colon Rect. **16**, 87 (1973).

12. Erkrankungen der äußeren Analregion

Erkrankungen der äußeren Analregion lassen sich während der äußeren Inspektion bei *ausreichender* Beleuchtung diagnostizieren. Wegen der unterschiedlichen therapeutischen Konsequenz sollen die einzelnen Krankheitsbilder differentialdiagnostisch voneinander abgegrenzt werden.

12.1. Ekzem (Tafel II/3–5)

Akutes und *chronisches Analekzem,* zumeist begleitet von einem erheblich quälenden Pruritus ani, sind häufig Symptome oder Folgeerscheinungen von inneren Hämorrhoiden. Dabei spielt wohl der gestörte Analschlußmechanismus eine ursächliche Rolle. Demzufolge ist auch das anhaltende Nässen beim Prolaps, bei Anitis, Proktitis, chronischer Analfissur und Analfistel als auslösendes oder unterhaltendes Moment anzusehen. Manchmal spielen Pilzinfektionen (besonders *Soormykosen*) ätiologisch eine Rolle. Ferner muß man an chronische Diarrhoe, länger dauernde Antibiotika-Medikation, Kontaktallergie gegen Kunststoffasern, Waschmittel und gegen Toilettenpapier oder bestimmte Grundlagen von Hämorrhoidalsalben oder -zäpfchen als auslösende Faktoren denken. Auch Knotenbildungen in der Rima ani (Marisquen, Condylome, Analfibrome usw.) führen zu ekzemähnlichen Reizzuständen. Besonders prädisponiert zum Ekzem sind Adipöse oder Patienten mit einem *Trichteranus,* weil durch die massigen Nates und die Schweißsekretion der Boden für das Ekzem bereitet wird. Abhängig vom Stadium und Schweregrad finden sich sehr differente Erscheinungsformen des Analekzems. Bei starker Randbetonung einer diffusen Rötung und Rhagadenbildung ist eine Pilzsuperinfektion als mitunterhaltendes Agens zu diskutieren. Starkes Nässen spricht für das akute Analekzem. Die verdickte lichenifizierte, trockene, hyperkeratotische Haut findet sich zumeist beim chronischen Ekzem.

12.2. Marisquen (Tafel II/6)

Die Kenntnis der *perianalen Hautläppchen,* der sogenannten *Marisquen,* ist notwendig, weil sie häufig fälschlicherweise als *äußere Hämorrhoiden* bezeichnet werden. Marisquen können sehr unterschiedliche Größe annehmen. Im Gegensatz zu äußeren Hämorrhoiden füllen sie sich *nicht* beim Pressen, durch wiederholte Entzündungen können sie völlig fibrosieren. Sie haben insofern Bedeutung, als sie eine optimale Reinigung der Rima ani verhindern und somit auslösender Faktor für den Pruritus ani und Analekzeme sein können. Wenn kosmetische oder hygienische Gründe es notwendig machen, kann man die Marisquen mittels Elektroresektion in Lokalanästhesie leicht entfernen.

Ursache der Marisquen können durchgemachte Perianalthrombosen, eine Überdehnung der Analhaut bei der Geburt oder Analfissuren sein.

12.3. Perianalthrombosen (Hämatome)
(Tafel III/1)

Es handelt sich um akut auftretende Thrombosen in den subcutanen Venen des Analrandes. Dieses relativ häufige und für die Patienten *sehr* schmerzhafte Krankheitsbild läßt sich aus den *anamnestischen* Hinweisen diagnostizieren. Nach starkem Pressen beim Stuhl, Diarrhoen, starkem Heben oder ohne erkennbare Ursache kommt es zur Ausbildung sehr schmerzhafter, derber Knoten am Analrand von Erbsen- bis Bohnengröße, von bläulich-livider Farbe. Sie exulcerieren mitunter spontan und können zu starken Blutungen führen. Differentialdiagnostisch sind incarcerierte prolabierte Hämorrhoidalknoten abzugrenzen, bei deren Incision sich kein Thrombus entleert.

Ohne Therapie können diese Knoten oft Wochen bestehen. Stärke und Dauer der Beschwerden hängen von der Größe der Thrombose, der Intensität der Begleitphlebitis ab. Ausgeprägte Thrombophlebitiden können manchmal die gesamte Analregion einbeziehen. Die stark ödematös aufgetriebenen Knoten enthalten dann oft multiple Thromben, die mehrfache Stichincisionen notwendig machen. Als Restzustände imponieren bei besonders großen Thrombosen Analläppchen (*Marisquen*).

Therapie (Tafel III/2–4): In den *ersten* Tagen Stichincision, die bei geschickter Ausführung *oft ohne* Lokalanästhesie auszuführen ist. Nach der Incision springt der Thrombus spontan heraus. In Einzelfällen läßt sich durch Druck auf das zuführende Gefäß ein weiterer Thrombus exprimieren. *Nicht selten ist die Anästhesie schmerzhafter als eine geschickt durchgeführte Stichincision.* Anschließend heparinoidhaltige Salbe, bei Rezidivneigung und starken entzündlichen Begleitreaktionen Salbenverband, Kamillensitzbäder, Phenylbutazon oral, gegebenenfalls Excision oder Abtragung.

12.4. Äußere Hämorrhoiden
(Tafel III/5 u. 6)

Äußere Hämorrhoiden sind selten, werden aber häufig diagnostiziert, da von Patienten und vielen Ärzten alle sicht- und tastbaren Gebilde der Analregion primär als „äußere Hämorrhoiden" bezeichnet werden. Äußere Hämorrhoiden sind von Haut bedeckte, weiche Knoten am äußeren Analrand, die sich in Unterscheidung zu den Marisquen (Analläppchen, s. 12.2) *ausdrücken* lassen und beim Pressen füllen. Sie dürfen *nicht* mit perianalen Thrombosen und prolabierenden inneren Hämorrhoiden, die immer von Schleimhaut überzogen sind, verwechselt werden.

Sind äußere Hämorrhoiden sichtbar, sind zumeist auch ausgeprägte innere vorhanden. Beseitigt man diese, so bilden sich in der Regel auch die äußeren Hämorrhoiden zurück.

12.5. Analfissuren

Neben der Perianalthrombose ist die Analfissur die *häufigste* schmerzhafte Erkrankung der äußeren Analregion. Die Analfissur ist ein längliches Ulcus, das darunter liegende Anteile des Sphincter ani internus einbezieht, der mit einem erhöhten *sehr schmerzhaften* Dauertonus reagiert. Ursache einer Analfissur können infizierte subcutane Thrombosen oder aber Verletzungen der Analregion nach hartem, festem Stuhl, Fremdkörpern im Stuhl o.ä. sein. *Oft* läßt sich *kein* auslösender Faktor finden.

12.5.1. Akute Fissur (Tafel IV/1)

Beschwerden: zumeist plötzlicher Beginn nach schwerem Stuhl oder Diarrhoen mit brennenden oder stechenden Schmerzen. Wichtig ist der anamnestische Hinweis auf *mit* der Defäkation einsetzende Sensationen, die Stunden andauern können und oft von einem erheblichen Sphincterkrampf begleitet sind, in dessen Folge sich schwere Obstipationen entwickeln können.

Diagnose: Die Fissur liegt in mehr als 90% aller Fälle an der *hinteren* Commissur, zumeist weist eine *„Vorpostenfalte"* — eine verdickte ödematöse Falte, in der die Fissur ausläuft — auf ihren Sitz hin. Nach Spreizen der Nates kommt ein kleines, längs-ovales Ulcus mit gelblich-rötlich-schmierigem Grund zur Darstellung. Die Größe schwankt zwischen der eines Reiskorns und eines Pflaumenkerns. Die akute Fissur ist von einem schmerzhaften Spincterkrampf begleitet. Die rectale Untersuchung sollte deshalb immer erst *nach* Lokalanästhesie durchgeführt werden. (*1–2 ml eines Lokalanästheticums flach mit 17–18er Nadel in den Fissurgrund spritzen.*) Vollnarkose ist nicht erforderlich; nach Anästhesie löst sich der Sphincterkrampf sofort und die Untersuchung ist mühelos schmerzfrei möglich.

12.5.2. Chronische Fissur (Tafel IV/2)

Wird die akute Analfissur nicht behandelt, so kann sie im Verlauf von Wochen und Monaten ins chronische Stadium übergehen. Die Schmerzen sind dann nicht mehr so heftig, die rectale Untersuchung ist fast immer ohne Anästhesie möglich. Patienten berichten dann über Nässen, Schmieren in der Rima ani, ausgeprägten Juckreiz bei konsekutivem Perianalekzem und Blutauflagerungen auf dem Stuhl. Chronische Fissuren unterscheiden sich durch ihre derben, unterminierten Ränder und ihren zumeist gesäuberten Ulcusgrund, in dem weißliche, querverlaufende Fasern des Sphincters sichtbar werden, von der akuten.

Therapie: Bei *akuter* Fissur: Nach Lokalanästhesie Einspritzen von 1 Tropfen 20%iger *Chininlösung* (Sagitta proct.) in den Fissurgrund mittels einer 18er Kanüle. Die Schmerzen lösen sich sofort auf, die folgende Defäkation ist bereits zumeist weitgehend schmerzlos. Als Komplikation kann bei zu tiefem Einspritzen ein Abszeß entstehen, der dann chirurgisch versorgt werden sollte. Die früher geübte Sphincterdehnung in Vollnarkose sollte wegen der Gefahr von Sphincterrissen nicht von Unerfahrenen durchgeführt werden und ist bei der angegebenen Methodik nicht notwendig.

Bei der *chronischen* Fissur führt die Injektionstherapie meist nicht zum Erfolg. Es ist die Längsincision mit Abtragung der unterminierten Ränder erforderlich. *Salbenbehandlung mit steroidhaltigen Medikamenten führt nicht* zum Erfolg.

12.6. Condylome (Tafel IV/3 u. 4)

12.6.1. Spitze Condylome (Condylomata acuminata)

Die *spitzen* Condylome haben nach heutiger Auffassung ihre Ursache in einer Virusinfektion. Dem Prozeß kann durch „Nässen und Feuchten" in der Rima ani — z.B. Hämorrhoidalleiden — der Boden bereitet werden. Ein kausaler Zusammenhang zu den Geschlechtskrankheiten besteht nicht, ist als Begleitreaktion bei Gonorrhoe durchaus möglich. Die *Condylomata acuminata* kommen als warzenförmige, auseinander faltbare, fingerförmige, einzelstehende oder rasenartige kleine Tumoren von sandfarbenem Aussehen mit rauher Oberfläche zur Darstellung. Vereinzelt greifen sie auf den Analkanal über; gelegentlich können einzelne Condylome bis Bohnengröße anwachsen. Pruritus ani und übelriechende Sekretionen sind die

Folge oder Begleiterscheinung der Veränderungen.

Therapie: Abtragung mit Elektroschlinge oder Betupfen mit *20%iger* alkoholischer *Podophyllin*lösung.

12.6.2. Breite Condylome
(Condylomata lata) (Tafel IV/5 u. 6)

Breite Condylome sind *pathognomonisch für die Lues*; im Gegensatz zu den spitzen Condylomen handelt es sich bei den breiten um nässende, breitbasig aufsitzende Papeln mit deutlichem Basisinfiltrat.

12.7. Analfisteln
(Abb. 26 u. Tafel V/1–6)

Eine Analfistel ist ein chronisch eiternder Gang im Analbereich, der im allgemeinen *nicht spontan* abheilt. Auslösender Faktor einer Analfistel ist fast immer ein Absceß im Analbereich, der aus einer infizierten Morgagnischen Krypte, einer thrombosierten und vereiterten Hämorrhoide hervorgeht. *Die Fisteln sind nicht selten Komplikationen des Morbus Crohn*, seltener der Colitis ulcerosa. Eine Tuberkulose ist in weniger als 1% als Ursache zu sehen.

Anamnestischer Startpunkt einer Fistel ist oft der nicht optimal versorgte periproktitische Absceß, der spontan perforiert oder nach zu zaghafter Incision nicht breit genug eröffnet wurde, so daß er trotz Drainage zu früh verklebte. Die Folge ist dann eine Analfistel.

Je nach Situation der Fistel in Beziehung zum Sphincter unterscheidet man (Abb. 26) *subcutane* oder *submucöse*, *intra-*, *trans- oder extrasphinctäre* Fisteln, oder die *ischiorectale* Fistel.

Zur Therapie und Prognose ist wichtig, ob eine Fistel *unterhalb* oder *oberhalb* des für die Verschlußfunktion wichtigen Musculus levator ani ins Rectum einmündet. Die Lokalisation der primären Fistelöffnung findet sich in über 90% aller Fälle im Analkanal. Durch *vorsichtiges* Sondieren von der äußeren sekundären Fistelöffnung aus (Tafel V/1 u. 2) ist der Verlauf des Hauptfistelgangs bis hin zur primären Öffnung zu erfassen, wobei es sich als zweckmäßig erweist, das Vordringen der Sonde im Fistelkanal mit dem ins Rectum eingeführten Finger palpatorisch zu beobachten. Als Orientierungshilfe dabei kann man die Goodsallsche Regel nutzen (Abb. 27).

Die Erstversorgung des periproktitischen Abscesses als Ausgangspunkt der

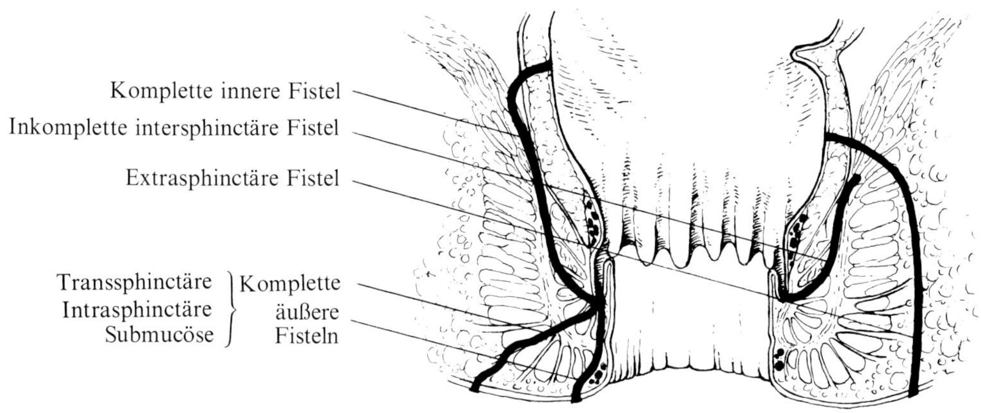

Abb. 26. *Schematische Darstellung verschiedener Fistelformen* in Abhängigkeit von ihrer Lage zum Sphincterapparat

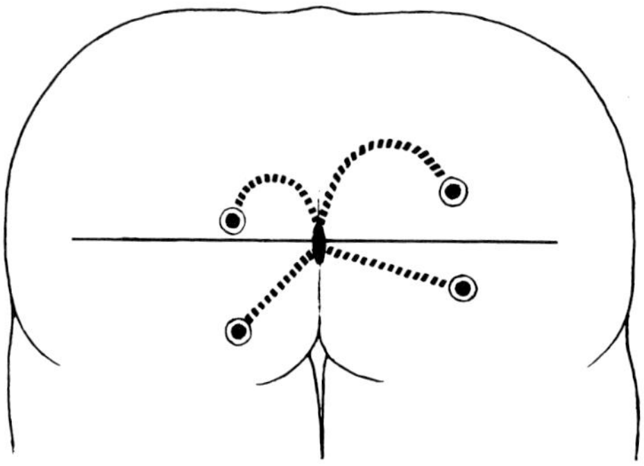

Abb. 27. *Goodsallsche Regel:* Perianale Fisteln, deren sekundäre, äußere Öffnung dorsal einer mitten durch den Anus verlaufenden Horizontalen liegen, verlaufen bogenförmig und münden im Analkanal zwischen $^1/_2$12 und $^1/_2$1 Uhr (Knie-Ellenbogen-Lage). Fisteln, die ventral dieser Linie perianal enden, verlaufen meist geradlinig auf den Analkanal zu

Analfistel sollte möglichst dem Chirurgen überlassen werden, wobei auf eine möglichst breite Eröffnung mit langer Drainage der Absceßhöhle zu achten ist.

Bei bestehendem chronischem Fistelleiden kann durch *Einlegen eines Fadens* bei bestehender Retention die Fistel drainiert werden und so eine günstigere Ausgangsposition für eine folgende Operation geschaffen werden. Dabei wird mit einer durchbohrten Knopfsonde durch den Hauptgang der Fistel ein Faden zur Dauerdrainage eingelegt. Der Faden wird aus dem Anus herausgeführt und vor der äußeren sekundären Fistelöffnung ohne Spannung zu einem lockeren Ring verknotet (Tafel V/4). Als unterstützende Maßnahme empfehlen sich zur Sauberhaltung der Analregion Sitzbäder mit Kamillenzusätzen. Unter der Drainage kommt es sehr schnell zum Abklingen massiver perianaler Infiltrate, und überraschenderweise empfinden die Patienten den zusammengeknoteten Faden nicht als Belästigung. Es kommt sehr schnell zu einer deutlichen Besserung im Allgemeinbefinden der Patienten. Dieses Verfahren eignet sich für die Analfistel bei Morbus Crohn, weil es ohne Beseitigung der die Fistel unterhaltenden Dünn- und/oder Dickdarmerkrankungen immer wieder zu Fistelrezidiven kommt.

12.8. Inkomplette Fistel (Tafel V/5 u. 6)

Bewußt wird die inkomplette, innere intrasphinctäre Fistel von den übrigen Fisteln abgegrenzt, weil sie weitgehend unbekannt und deshalb selten diagnostiziert wird. Dabei leiden diese Patienten oft jahrelang unter diesem Krankheitsbild, das bei Kenntnis der Symptome sehr einfach zu diagnostizieren ist. Das wesentliche Symptom ist, im Gegensatz zu dem Fissurschmerz, der nicht während der Defäkation, sondern meist erst 15–20 min danach einsetzende, gelegentlich mehrere Stunden anhaltende *Spätschmerz* (Intervallschmerz). Die Beschwerden strahlen häufig ins Gesäß, die Oberschenkel oder den Rücken aus. Nicht selten findet sich als Begleitsymptom ein macerierendes Ekzem mit einer mykotischen Superinfektion.

Diagnose: Bei digitaler Untersuchung geringe Sphincterlücke, jedoch häufig deutlicher Sphincterhypertonus. Die Läsion findet sich häufig zwischen *11 und 1 Uhr (Knie-Ellenbogen-Lage).* Oft entleert sich beim Spreizen der Nates ein Tropfen oder ein ganzer Schwall von Eiter aus dem Anus. Dieser Befund neben der klassischen Anamnese ist der Beweis für das Vorliegen einer inkompletten Fistel, die nur mit einem Spreizspeculum und einer Hakensonde zu diagnostizieren ist. Dabei findet sich eine kleine Vertiefung, von der aus man mit einer hakenförmig umgebogenen Knopfsonde einen Gang verfolgen kann, der den Sphincter internus durchläuft und im Bereich des Sphincter externus *blind* unter der perianalen Haut endet.

Therapie: Diese Hauttäschchen lassen sich nach Lokalanästhesie mit dem elektrischen Messer aufklappen und die Ränder abtragen oder vereinzelt sogar mit der Knopfsonde direkt aufreißen.

Zusatztherapie: Sitzbäder mit Kamillenzusatz. Sehr schnell kommt es zur Abheilung der Operationswunde und zur völligen Beseitigung der oft jahrelang bestehenden Symptome.

12.9. Analcarcinom (Tafel VI/2 u. 4)

3–6% der Enddarmcarcinome sind Analcarcinome. Die Problematik dieses Carcinoms liegt darin, daß es trotz guter Erkennbarkeit häufig erst *spät* diagnostiziert wird und über Wochen, Monate, ja Jahre hinaus als Hämorrhoide verkannt wird. *Alle exulcerierenden derben Analläppchen* sollten *unbedingt biopsiert* werden, um frühzeitig einer Therapie zugeführt zu werden. Das Analrandcarcinom wird lokal im Gesunden excidiert, anschließend seine Leistenlymphknoten ausgeräumt und das Operationsfeld nachbestrahlt.

12.10. Anal- und Rectumprolaps (Tafel VI/1 u. 3)

Ein Analprolaps ist charakterisiert durch das *zeitweilige* oder *dauernde* Heraustreten von Anteilen der Rectumschleimhaut durch den Analkanal nach außen. Häufigste Ursache des Analprolapses ist das fortgeschrittene Hämorrhoidalleiden. Die sich von der Wand des Analkanals lösenden großen Hämorrhoidalknoten II. und III. Grades prolabieren durch den Schließmuskel nach außen (*sekundärer Analprolaps*) (s. Kap. 14 u. Tafel VI/1).

Während bei den *Analprolapsen* nur Mucosa und Submucosa nach außen hervortreten, wird beim *Rectumprolaps* das Rectum mit allen Wandschichten nach außen gestülpt. Die Analprolapse sind knotenförmig und zeigen radiäre Einziehungen, demgegenüber sind die Falten beim Rectumprolaps zirkulär angeordnet; er hat ein teleskopartiges Aussehen (Tafel VI/3).

Literatur

Arnold, K.: Klinik und Therapie des Hämorrhoidalleidens, Langenbecks Arch. klin. Chir. **332**, 411 (1972).

Arnold, K., Gusinde, J.: Proktologie in der Allgemeinpraxis. Medicovision Roche 1972.

Berg, V.: Diagnose der Enddarmerkrankungen. Tägl. Prax. **11**, 21 (1970).

Böhm, C.: Dermatologische Erkrankungen der Anorektalregion. Z. Allgemein. Med. **45**, 187 (1969).

Böhm, C.: Anorectales Syndrom. Arch. Dermatol. Forsch. **244**, 364 (1972).

Deucher, F.: Zur Ätiologie und Therapie der Analfistel. Schweiz. med. Wschr. **86**, 953 (1956).

Deucher, F.: Praktische Proktologie (Fissura ani, Hämorrhoiden und Fisteln). Therap. Umschau **19**, 564 (1962).

Deucher, R., Blessing, H.: Prolaps und Sphincterinsuffizienz. Langenbecks Arch. klin. Chir. **332**, 423 (1972).

Dietrich, K.F.: Proktologie für die Praxis. München: J.F. Lehmann 1969.

Goligher, J. C.: Surgery of the Anus, Rectum and Colon, 2nd edition. London: Baillière, Tindall, Cassell 1967.

Keining, E., Braun-Falco, O.: Dermatologie und Venerologie, 2. Aufl. München: J.F. Lehmann 1969.

Knoch, H. G., Kamenz, E.: Proktologische Probleme der täglichen Praxis. Dtsch. Gesundh.-Wes. **27**, 1201 (1972).

Krause, H., Roschke, W.: Die inkomplette innere Analfistel. Ein nicht seltenes, aber häufig verkanntes Krankheitsbild. Münch. med. Wschr. **107**, 2595 (1965).

Krause, H., Roschke, W.: Die Fadendrainage des perianalen Fistelleidens. Med. Welt **25**, 368 (1974).

Krebs, A.: Die Behandlung des Analekzems und des Pruritus ani. Therapiewoche **17**, 1868 (1967).

Lockwood, R. A.: Anorektale Erkrankungen. Stuttgart: Schattauer 1965.

Mahal, H.: Mykologische Studien bei Analekzemen an Erwachsenen und Kindern. Hautarzt **23**, 228 (1972).

May, R.: Die Analfissur. Fortschr. Med. **89**, 1110 (1971).

Neiger, A.: Atlas der praktischen Proktologie. Bern/Stuttgart/Wien: Huber 1973.

Otto, P.: Die vernachlässigte Region: Proktologie in der Praxis. Nieders. Ärztebl. **43**, 52 (1970).

Otto, P.: Das Hämorrhoidalleiden — Bemerkungen zur Diagnose und Therapie. Med. Klin. **67**, 337 (1972).

Otto, P.: Die Proktologie ein Stiefkind der Gastroenterologie. Erfahrungen in Diagnostik und Therapie. Z. Gastroenterologie **11**, 107 (1973).

Parks, A. G.: The Classification of Fistula in Ano. In: Progress in Proctology, Ed.: J. Hoferichter. Berlin/Heidelberg/New York: Springer 1969.

Rannenberg, K. M.: Dermatologische Aspekte zu Erkrankungen der Perianal- und Anorektalregion. Z. Allgem. Med. **14**, 653 (1974).

Roschke, W.: Die Analfissur und ihre Behandlung in der Sprechstunde. Dtsch. med. Wschr. **86**, 1237 (1961).

Roschke, W.: Pruritus ani und Oxyuriasis aus der Sicht des Proktologen. Med. Klinik **57**, 140 (1962).

Roschke, W.: Das perianale Hämatom und die perianale Spontanthrombose. Chirurg **35**, 467 (1964).

Roschke, W.: Äußere Hämorrhoiden. Zur Differentialdiagnose der perianalen Thrombose und des perianalen Haematoms und deren Behandlung. Ther. d. Gegenw. **103**, 734 (1967).

Roschke, W.: Periproktitischer Abszeß und perianale Fisteln. Arch. Dermatol. Forsch. **244**, 371 (1971).

Roschke, W.: Anal- und Rektumprolapse — klinische Aspekte und Therapie. Arch. Dermatol. Forsch. **244**, 374 (1972).

Roschke, W.: Die proktologische Sprechstunde. 4. Aufl. München/Berlin/Wien: Urban und Schwarzenberg 1976.

Roschke, W., Schrader, H. F.: Über die Behandlung des Anal- und Rektumprolapses mit sklerosierenden Injektionen. Fortschr. Med. **82**, 14 (1964).

Schier, J.: Analfisteln bei entzündlichen Darmerkrankungen. Bruns' Beitr. klin. Chir. **218**, 660 (1971).

Stelzner, F.: Rektum und Anus. In: Klinische Chirurgie für die Praxis (hrsg. v. O. Diebold, H. Junghanns, L. Zuckschwerdt), Stuttgart: Thieme 1962.

Stelzner, F.: Die anorektalen Fisteln. 2. Aufl. Berlin/Göttingen/Heidelberg: Springer 1976

Stirnemann, H., Halter, F.: Erkrankungen von Rektum und Analkanal. Bern/Stuttgart/Wien: Huber 1970.

Sumikoshi, Y., Takano, M., Okada, M., Kiratuka, J., Sato, S.H.: New Classification of Fistulas and its Application to the Operations. Amer. J. Proctol. **25**, 291 (1974).

Turrel, R.: Diseases of the Colon and Anorectum, 2. Vol. Philadelphia/London: Saunders 1959.

Zangl, A.: Mastdarmfisteln. Langenbecks Arch. klin. Chir. **332**, 417 (1972).

13. Anitis — Kryptitis — Papillitis

Die entzündlichen Prozesse in dieser Übergangsregion können nicht isoliert gesehen werden und kommen oft gemeinsam vor. Die Morgagnischen Krypten sind meist der Ausgangspunkt der Entzündungen. Sie gehen häufig von den dorsal gelegenen Krypten aus und schließen die angrenzenden Papillen mit ein. Die befallene Region ist gerötet und ödematös, manchmal entleert sich Eiter aus der Krypte. Es bestehen weitere Zusammenhänge zwischen Kryptitis, der Bildung von Analfisteln ferner auch zu den Analfissuren und dem Hämorrhoidalleiden. Der Analkanal ist meist in den entzündlichen Prozeß einbezogen. Man findet eine Anitis, die durch vermehrte Sekretion eine Perianitis und ein perianales Ekzem auslösen und unterhal-

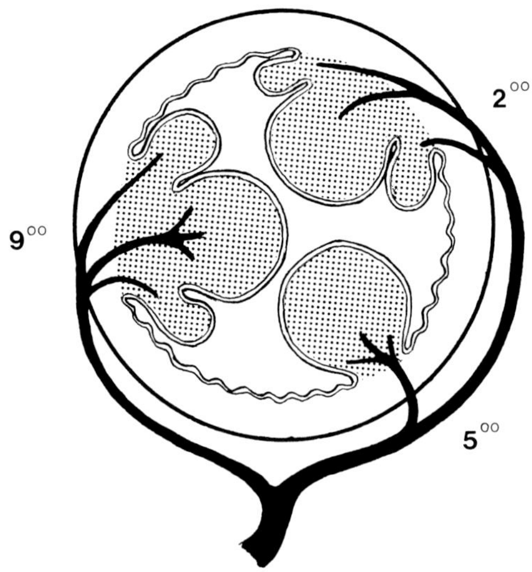

Abb. 28. *Schematische Darstellung der arteriellen Gefäßversorgung der Hämorrhoidalknoten* (Knie-Ellenbogen-Lage) aus den Endästen der Arteria rectalis superior, die in Höhe der Linea dentata (5 cm vom Analring entfernt) bei 2, 5 und 9 Uhr die Rectumwand durchbrechen. Durch Aufzweigung der Äste bei 2 und 9 Uhr können in diesen Bereichen Hämorrhoidalnebenknoten, sogenannte Satellitenknoten, entstehen

ten kann (Tafel VII/1 u. 2). Es entstehen Papillenhypertrophien (Tafel VII/3–6). Die geschilderten Veränderungen können auch Folge einer Gonorrhoe oder Lues sein, deren Erreger dann im Ausstrich bzw. Dunkelfeld mikroskopisch nachweisbar sind.

Symptome: Die Anitis und Perianitis sind gekennzeichnet durch Jucken, Nässen. Bei ausgeprägten Formen kann das Blut am Toilettenpapier hiervon herrühren. Bei der Kryptitis — Papillitis klagen die Patienten über einen dumpfen Druck im Analbereich ohne sichere Abhängigkeit von der Defäkation.

Therapie: Zunächst konservativ — Hämorrhoidalsalben und Tampositorien B (Produpharm/Bensberg-Frankenforst), — bleiben im Analkanal liegen; Betupfen der Papillen mit 10–20%igem Phenol-Glycerin. Entzündete Krypten können mit dem Sichelmesser („*Kryptotom*") gespalten, große Papillen, besonders wenn sie prolabieren, mit der elektrischen Schlinge abgetragen werden (Tafel VII/3–6).

14. Hämorrhoiden

Hämorrhoiden sind schwammige, blutreiche Vorwölbungen unmittelbar vor der Linea dentata (Abb. 13 u. 29). In Deutschland hat sich die Anschauung von Stelzner *et al.* (1962) durchgesetzt, daß es sich pathogenetisch um Hyperplasien und Ektasien eines Schwellkörpers, des Corpus cavernosum recti handelt, der als Teil des Kontinenzorgans wesentliche Verschlußfunktionen hat. Prädilektionsstellen sind die Einmündungen der zuführenden arteriellen Gefäße bei 2, 5 und 9 Uhr (Knie-Ellenbogen-Lage). Neben diesen Hauptknoten bestehen häufig noch Nebenknoten (Abb. 28).

Buie gibt an, daß über 80% aller Menschen über 30 Jahre Hämorrhoidenträger sind. Das Vorhandensein von Hämorrhoiden per se macht jedoch noch keine Beschwerden. Die Hämorrhoiden liegen bereits im Bereich der visceralen Nervenversorgung und sind deshalb unempfindlich gegenüber Reizen wie Einstichen, Schneiden oder Brennen, auch die Abschnürung durch eine elastische Ligatur ist schmerzlos (s. 14.2. c). Es müssen daher erst weitere Symptome hinzukommen, bis ein *„Hämorrhoidalleiden"* entsteht. Die typischen Symptome des Hämorrhoidalleidens, eventuell mitausgelöst durch eine begleitende Anitis oder Papillitis, sind Nässen, Jucken und Brennen am After sowie Druckgefühl (s. auch Kap. 13, Kryptitis). Ferner werden Blutauflagerungen,

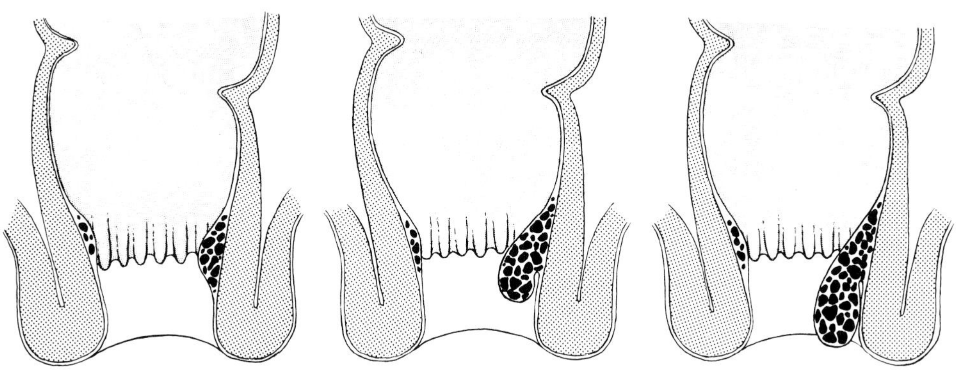

I. Grades II. Grades III. Grades

Abb. 29. Schematische Darstellung der *Gradeinteilung des Hämorrhoidalleidens*

meist hellrotes Blut, auf dem Stuhl oder am Toilettenpapier angegeben.

14.1. Gradeinteilung

(Tafel VIII/1–4 u. Abb. 29)

Grad I: Hämorrhoiden prolabieren oder wölben sich ins Proktoskop vor. Es handelt sich um die häufigste Hämorrhoidenform. Es besteht Blutungsneigung (Tafel VIII/1 u. 4).

Grad II: Hämorrhoiden prolabieren nach der Defäkation nach außen, retrahieren sich aber spontan wieder. Die Blutungsneigung ist wegen beginnender Fibrose geringer (Tafel VIII/2).

Grad III: Hämorrhoidenprolaps ist ausgeprägter, läßt sich aber meist digital noch reponieren. Die Blutungsneigung ist gering (Tafel VIII/3).

Meist kommt es bei Grad II und besonders bei Grad III im Laufe der Zeit zu Fibrosierungen, so daß der Prolaps schließlich nicht mehr oder nur partiell reponibel ist. Synonyme für *Hämorrhoiden II. und III. Grades* sind *reponibler* Analprolaps (Hämorrhoiden II. Grades) und *irreponibler, partiell reponibler* oder *sekundäre* Analprolaps (Hämorrhoiden III. Grades).

14.2. Therapie

a) Symptomatisch mit Suppositorien oder Tampositorien B (Produpharm Lappe/Bensberg).
b) Sklerosierungsbehandlung (Tafel VIII/5 u. Abb. 30).

Der Therapieerfolg ist bei Hämorrhoiden I. Grades ausgezeichnet, bei Hämorrhoiden II. Grades gut. Diese Fälle sollten nicht operiert werden, da der Behandlungserfolg der Sklerosierung ebenso gut oder besser ist als der der Operation (Rueff *et al.*, 1972). Hämorrhoiden III. Grades, insbesondere der fixierte Analprolaps, stellen primär eine Operationsindikation dar. Bei operationsunwilligen Patienten kann jedoch ein Sklerosierungsversuch unternommen werden, da es oft zumindest zu deutlicher symptomatischer Besserung der subjektiven Beschwerden und nicht selten zu einem objektiven Teilerfolg mit partieller Retraktion des Prolapses kommt.

Nach *Blond:* Tropfenweise Injektion von *chininhaltigen 20%igen Lösungen* (Sagitta proct., Sagitta-Werk/8 München; Chinindihydrochloricum, Buchler/Braunschweig) durch das seitliche Fenster des Proktoskops streng submucös in die Basis des Knotens. Pro Sitzung werden bis zu 1 ml gespritzt. Liegt die Nadel zu oberflächlich, kann es zu Nekrosen kommen; liegt sie zu tief, wird statt in die Hämorrhoiden in die Muskulatur gespritzt. Ist man sich der richtigen Nadellage nicht ganz sicher, wird eine ganz geringe Menge von Sklerosierungsflüssigkeit eingespritzt. Ein größerer Widerstand zeigt an, daß die Nadelspitze in der Muskulatur liegt. Besondere Vorsicht ist bei der Injektion im ventralen Bereich geboten. Deshalb sollte die vordere Commissur von der Injektion ausgespart werden. Die Injektion in die Prostatakapsel verursacht Beschwerden, Injektionen in den Bereich der Harnröhre eine Dysurie.

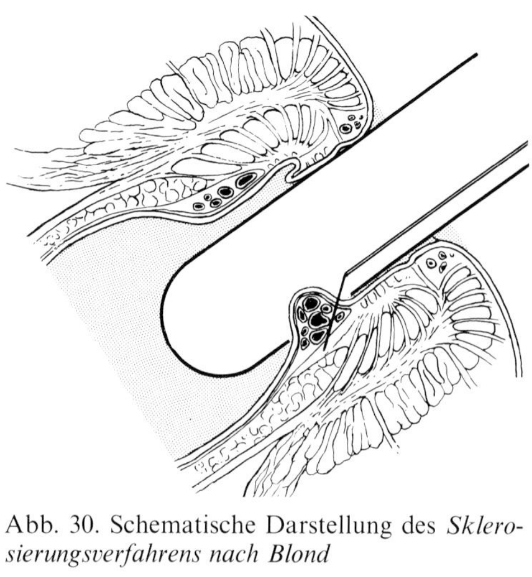

Abb. 30. Schematische Darstellung des *Sklerosierungsverfahrens nach Blond*

Wegen des Blutreichtums ist eine Infektion durch die Injektion nicht zu befürchten, eine Desinfektion der Injektionsstelle ist nicht erforderlich.

Beim Weiterdrehen des Proktoskops ist darauf zu achten, daß die bereits injizierte Hämorrhoide nicht mitgezogen wird und dadurch die nächste Injektion praktisch in die gleiche Region erfolgt. Der Blutaustritt aus dem Stichkanal ist ohne wesentliche Bedeutung, eine stärkere Blutung ist dabei nicht zu erwarten.

In der Regel reichen 5–8 Wiederholungen der Injektionen in wöchentlichen Abständen für einen guten Therapieerfolg aus.

Nach *Bensaude: Mit Natriumtetradexylsulfat* 0,5–1 ml oberhalb eines Knotens, wobei zwei Knoten pro Sitzung behandelt werden. 3–4 Injektionen in wöchentlichen Abständen reichen in der Regel aus.

Nach *Blanchard:* Hierbei werden insgesamt bis zu 10 ml einer 5%igen Phenollösung in Mandelöl submucös unter die Knoten injiziert, bis die Schleimhaut abblaßt und die kleinen Capillaren hervortreten. In der Regel reichen 2–3 Injektionsserien, um den Patienten beschwerdefrei zu machen.

Kontraindikationen für die Sklerosierungsbehandlung: Bei akut-entzündlichen Prozessen, hämorrhagischer Diathese und Schwangerschaft sollte nicht injiziert werden. Es tritt bei ca. 1% eine Chininallergie auf. Komplikationen: Spritzenulcera (Tafel VIII/6).

c) Elastische Ligatur mit Spezialinstrumenten, wobei ein Gummiband über die Hämorrhoiden gestülpt wird, die die Hämorrhoiden im Laufe einiger Tage abschnürt.

d) Operation. In der Regel wird heute die 3-Zipfel-Methode nach Milligan und Morgan und eine Modifikation nach Parks durchgeführt.

Literatur

Bensaude, R., Bensaude, A.: Les hémorroides et leur traitement. In: Maladies de l'intestin, 5eme ed. Vol. IV. Paris: Masson 1939.

Blond, K., Hoff, H.: Das Hämorrhoidalleiden. Leipzig/Wein: Deuticke 1936.

Böhm, C.: Das Hämorrhoidalleiden. Stuttgart: Schattauer 1967.

Dietrich, K. F.: Proktologie für die Praxis. München: J. F. Lehmann 1969.

Held, H., Heilmann, S.: Chininspiegel im Serum bei der Hämorrhoidenverödung nach Blond und Hoff. Phlebol. u. Proktol. **5**, 156 (1976).

Kügler, S.: Ergebnisse der Injektionstherapie blutender Hämorrhoiden. Chirurg. **3**, 120 (1965).

Müller, J. M., Fiedel, G., Stock, W., Pichlmaier, H.: Die Gummibandligatur, eine Alternative bei der Behandlung des Hämorrhoidalleidens. Dtsch. med. Wschr. **101**, 1798 (1976).

Neiger, A.: Atlas der praktischen Proktologie. Stuttgart/Bern/Wien: Huber 1973.

Otto, P.: Die vernachlässigte Region: Proktologie in der Praxis. Nieders. Ärztebl. **43**, 52 (1970).

Otto, P.: Das Hämorrhoidalleiden. Bemerkungen zur Diagnose und Therapie. Med. Klin. **67**, 337 (1972).

Otto, P.: Die Proktologie, ein Stiefkind der Gastroenterologie — Erfahrungen in Diagnose und Therapie. Z. Gastroenterol. **11**, 107 (1973).

Otto, P.: Das Hämorrhoidalleiden – Bemerkungen zur Ätiopathogenese, Diagnose und Therapie. Z. Haut- u. Geschl.-Kr. **50**, 315 (1975).

Otto, P., Wettengel, R.: Blutgasanalysen des Hämorrhoidalblutes. Ein Beitrag zur Diskussion über eine arterielle oder venöse Versorgung des Corpus cavernosum recti. Phlebol. u. Proktol. **1**, 254 (1972).

Roschke, W.: Zur Injektionsbehandlung des Hämorrhoidalleidens. Med. Klinik **59**, 310 (1964).

Roschke, W.: Hämorrhoiden und Hämorrhoidalleiden. Med. Klin. **69**, 1729 (1974).

Roschke, W.: Die proktologische Sprechstunde. 4. Aufl. München/Berlin/Wien: Urban und Schwarzenberg 1976.

Roschke, W., Schrader, H. F.: Über die Behandlung des Anal- und Rektumprolapses mit sklerosierenden Injektionen. Fortschr. Med. **82**, 415 (1964).

Rueff, F. L., Wirth, C. J., Schmidler, F.: Ergebnisse der konservativen, operativen, und sklerosierenden Behandlung des Hämorrhoidalleidens. Med. Welt, **23** (NF) 1204 (1972).

Steinberg, D.M., Liegeois, H., Alexander-Williams, J.: Long-term Review of the Results of Rubber Band Ligation of Internal Haemorrhoids. Brit. J. Surg. **62**, 144 (1975).

Stelzner, F.: Die Hämorrhoiden und andere Krankheiten des Corpus cavernosum recti

und des Analkanals. Dtsch. med. Wschr. **88**, 689 (1963).
Stelzner, F., Staubesand, J., Machleidt, H.: Das Corpus cavernosum recti — die Grundlage der inneren Hämorrhoiden. Langenbecks Arch. klin. Chir. **299**, 302 (1962).

15. Entzündliche Colonerkrankungen

Der endoskopische Aspekt einer *entzündlichen* Colonerkrankung läßt eine Differenzierung einer unspezifischen Proktitis, der bakteriellen Entero-Colitis und der *Proktocolitis ulcerosa* meist nicht zu.

Die Unterscheidung erfolgt durch den Verlauf und ggf. durch bakteriologische Untersuchungen. Bei der „Colitis Crohn" ermöglichen verschiedene Besonderheiten oft die Differenzierung gegenüber den anderen Formen.

Symptome: Das Leitsymptom der entzündlichen Colonerkrankungen sind *Blut-* und *Schleim-*, eventuell *Eiterbeimengungen zum Stuhl*, manchmal auch Abgang von Blut, Schleim oder Eiter ohne Stuhl. Bei der isolierten Proktitis sind die Stuhlgewohnheiten nicht beeinflußt. Bei der *Colitis ulcerosa* bestehen meist blutig-schleimig-eitrige Durchfälle. Bei der *„Colitis Crohn"* sind Blutabgänge jedoch viel seltener.

15.1. Unspezifische Proktitis

Es kann offenbar im Gefolge von entzündlichen Veränderungen im Krypten-Papillen-Hämorrhoidal-Bereich zu einem Übergreifen des Prozesses auf das Rectum kommen. Manchmal läßt sich keine Ursache für die Proktitis eruieren. Subjektive Beschwerden bestehen in der Regel nicht. Eine Abgrenzung gegenüber der *hämorrhagischen Proktitis* als Sonderform der Colitis ulcerosa ist noch nicht sicher möglich und erfolgt durch den Verlauf oder durch den Nachweis einer auslösenden proktologischen Erkrankung; schnelle Abheilung (Tafel IX/1–3).

Endoskopische Befunde bei Colitis

Gefäßzeichnung	in akuten Fällen völlig aufgehoben; bei chronischen, weniger floriden Fällen verwaschen, unregelmäßig
Oberfläche	gekörnt, uneben, zerstreuter Lichtreflex, vermehrte Rötung (besonders bei floriden Formen)
Verletzlichkeit	vermehrt, Blutung schon bei leichter Berührung punktförmig
Ödem	Falten ödematös verdickt
Absonderungen	Eiter- und/oder Schleimauflagerungen
Ulcera	Colitis ulcerosa: flache Erosionen; nicht obligat Morbus Crohn: umschrieben, einzeln als „Aphthen" oder tiefe Ulcera in normaler oder wenig veränderter Schleimhaut
Lokalisation	Proktitis-Colitis ulcerosa: Rectum allein oder Colon aufsteigend befallen Morbus Crohn: Rectum frei, proximales Colon befallen

15.2. Infektiöse (Entero-) Prokto-Colitis

Die durch Erreger, wie *Salmonellen, Staphylokokken, Dyspepsie-Colibakterien*, Viren und andere, verursachte Colitis verläuft meist als akuter Brechdurchfall, evtl. mit Fieber und heilt mit und ohne Behandlung nach wenigen Tagen aus. Sie ist endoskopisch von der Colitis ulcerosa kaum zu unterscheiden. Das kann auch für die *akute Amöbenruhr* gelten. Hierbei finden sich jedoch vielfach umschriebene, etwa stecknadelkopfgroße, eitrig belegte Defekte in der mehr oder weniger entzündlichen Schleimhaut (Tafel X/1–6).

15.3. Strahlenproktitis (Tafel IX/4–6)

Bestrahlungen bösartiger Geschwülste männlicher oder weiblicher Urogenitalorgane mit Röntgenstrahlen oder Radium können zu einer actinischen Schädigung der benachbarten Rectumschleimhaut führen. Sie äußert sich in Blutbeimengungen zum Stuhl und in manchen Fällen in krampfartigen Schmerzen im Rectumbereich. Die Symptome treten meist einige Wochen bis Monate nach der Bestrahlung auf, sie können sich jedoch auch erst Jahre später manifestieren.

Endoskopisch ist der meist ventral in Höhe von ca. 8 cm gelegene Bezirk wegen der leichten Verletzlichkeit der Schleimhaut oft schwierig zu beurteilen. Die Schleimhaut ist verdickt und weißlich verfärbt (Tafel IX/4). Um ein Übergreifen des primären malignen Prozesses auf das Rectum auszuschließen, ist bei der digitalen Untersuchung auf Infiltrationen zu achten und bei der Rectoskopie eine Biopsie zu entnehmen, die jedoch in den seltensten Fällen malignes Wachstum ergibt.

Wichtigste therapeutische Maßnahme ist die Beruhigung der Patienten, daß die Symptome nicht durch ein Carcinom verursacht werden. Die symptomatische Behandlung besteht in der Verabreichung von steroidhaltigen Klysmen, Azulfidine-Suppositorien sowie Spasmolytica und Analgetica.

15.4. Ischämische Colitis – pseudomembranöse Colitis
(Tafel XIV/3 u. 4)

Die ischämische Colitis wurde in den letzten Jahren von Marston als besonderes Krankheitsbild herausgestellt. Bei passageren Durchblutungsstörungen im Bereich der A. mesenterica inferior, die häufig auch ohne morphologisch nachweisbaren Verschluß auftreten können, kommt es zur Nekrose der Schleimhaut, während die resistenteren, tieferen Darmwandschichten erhalten bleiben. Es resultiert ein Bild mit plötzlich auftretenden blutigen Durchfällen und häufig links lokalisierten abdominellen Schmerzen, das differentialdiagnostisch von der akuten Diverticulitis abgegrenzt werden muß. Prädilektionsstellen sind die linke Colonflexur und das Colon descendens. Das Rectum ist in der Regel nicht befallen.

Coloskopisch (Tafel XIV/4) resultiert zuerst ein Bild mit weißlichen Schleimhautnekrosen, später nach Abstoßen der Nekrosen ein Befund ähnlich einer Colitis ulcersoa. Im weiteren Verlauf erfolgt eine weitgehende Regeneration der Schleimhaut. Als Spätkomplikation können Stenosen auftreten.

Differentialdiagnostisch muß im akuten Stadium auch an eine pseudomembranöse Colitis (Tafel XIV/3) gedacht werden, die nach langdauernder oraler Antibiotica-Medikation beobachtet werden kann. Sie heilt zumeist nach Absetzen des Medikamentes ab. Im akuten Stadium werden z.T. blutig-schleimige Diarrhoen beobachtet.

15.5. Colitis ulcerosa

Die Rectoskopie ist die *wichtigste* diagnostische Maßnahme der Colitis ulcerosa, weil die Veränderungen endoskopisch am deutlichsten sichtbar sind.

Die Colitis ulcerosa *beginnt im Rectum* und hat die Tendenz nach *oben* fortzuschreiten. Bei einer weiteren großen Anzahl von Fällen ist die Erkrankung auf Rectum und Sigma lokalisiert. Diese Formen stellen die Mehrzahl (ca. 60%) der Fälle mit Colitis ulcerosa dar.

Der krankhafte Prozeß spielt sich vorwiegend *in der Mucosa* ab. Die Schleimhautbiopsie kann bei Vorhandensein von Kryptenabscessen die Diagnose stützen. Veränderungen der Gefäßzeichnung, vermehrte Verletzlichkeit und Rötung der Schleimhaut entgehen der Röntgenuntersuchung.

Die *Röntgenuntersuchung* des Colons ist aufwendiger, belastender für den Patienten, teurer und weniger aufschlußreich. Sie ist lediglich *indiziert*, wenn das Ausmaß der Erkrankung festgestellt und ein höher sitzendes Carcinom bei langem Verlauf ausgeschlossen werden soll. Die Alternative zur Röntgenuntersuchung bietet die Coloskopie, die besonders bei langen Verlaufsformen mit geschrumpftem Colon technisch besonders einfach und wenig belastend ist. Bei chronischem Verlauf setzt eine Atonie und Schrumpfung des Colons ein. Bei Verlaufsformen über 10 Jahre und Befall des gesamten Colons oder zumindest großer Anteile steigt die Malignitätsrate steil an.

15.5.1. Hämorrhagische („ulcerative") Proktitis (Tafel XI/1)

Die *hämorrhagische Proktitis* ist eine häufige *Sonderform* der *Colitis ulcerosa*. Sie ist die mildeste Verlaufsform, bleibt in der Regel auf das Rectum beschränkt und zeigt nur in 10% der Fälle eine Tendenz, nach oben fortzuschreiten. Maligne Entartung wurde bisher nicht beschrieben. Außer dem Symptom Blut und Schleim macht die hämorrhagische Proktitis keine Symptome. Der entzündliche Prozeß geht *nicht über* 14 cm hinaus, die Grenze ist in der Regel scharf. Eine generalisierte Colitis ulcerosa kann über das Zwischenstadium einer hämorrhagischen Proktitis in die Remission übergehen.

15.5.2. Aktive Colitis ulcerosa (Tafel XI/2–5)

Die Hauptveränderungen der *aktiven* Colitis ulcerosa sind: *düsterrote Oberfläche, starke Blutungsneigung bei Berührung, Ödem der Schleimhautfalten, vermehrte Schleim-* oder *Eiterabsonderungen,* oberflächliche Epitheldefekte (Erosionen). Tiefe Ulcera werden bei der Colitis ulcerosa nicht gesehen, sondern sind typisch für die Colitis Crohn.

15.5.3. Chronische Colitis ulcerosa (Tafeln XI/6; XII/1–5)

Der rectoskopische Aspekt der *chronischen*, mild verlaufenden Form oder der Colitis in Remission *unterscheidet* sich in mehreren Punkten von dem akuten Bild:

Normale Gefäßzeichnung gestört oder aufgehoben; Schleimhaut *nicht* mehr gerötet, mehr blaß; *Verletzlichkeit nur noch gering gesteigert*; eventuell Inseln übrig gebliebener Schleimhaut als *Pseudopolypen* oder *entzündliche Hyperplasien* imponierend; relative Starre der Darmwand (nachprüfbar mit der „Pneumokinetik" durch Änderung des intraluminalen Drucks durch den Ballon).

15.6. Colitis Crohn
(Tafeln XIII/1–6; XIV/1 u. 2)

Im Gegensatz zur *Colitis ulcerosa* befällt der *Morbus Crohn* auch den Dünndarm, besonders das terminale Ileum. Bei Mitbefall des Colons besteht ebenfalls im Gegensatz zur Colitis ulcerosa die Tendenz, nach unten fortzuschreiten. Deshalb ist nicht selten das Rectum ausgespart oder enthält nur diskrete Zeichen der Erkrankung.

Folgende Veränderungen können als *Hinweise* für einen Morbus Crohn des Dickdarms gelten: *Analläsionen* (bis zu 80% bei Colitis Crohn) wie große livide Fissuren, die oft relativ wenig Beschwerden machen; *Analfisteln*; *aphthenähnliche Läsionen* oder *solitäre Ulcera in normaler Schleimhaut*; tiefe longitudinale Ulcera entweder in einer wenig oder auch stärker entzündlich veränderten Schleimhaut; *diskrete* Zeichen im *Rectum*; *deutliche Veränderungen* im *proximalen Colon und Ileum*.

Die Biopsie aus den Läsionen enthält nur in ca. 30% die für den Morbus Crohn charakteristischen Epitheloidzellgranulome mit Langhans-Riesenzellen. Ein weiteres Differenzierungsmerkmal gegenüber der Colitis ulcerosa ist aber der entzündliche Befall tieferer Schichten, d.h. der Submucosa. Bei einem geringen Prozentsatz von Crohn-Patienten mit makroskopisch normaler Rectumschleimhaut enthält die Biopsie dennoch die für den Morbus Crohn typischen Veränderungen, so daß in jedem Verdachtsfall eine Biopsie entnommen werden sollte.

Literatur

M. Crohn und Colitis ulcerosa

Arend, P., Martini, G.A.: Die Colitis ulcerosa (Ätiologie, Klinik und Therapie). Internist **9**, 329 (1968).

Baker, W.N.W., Milton-Thompson, G.J.: The Anal Lesion as the Sole Presenting Symptom of Intestinal Crohn's Disease. Gut **12**, 865 (1971).

Crohn, B.B., Ginzburg, L., Oppenheimer, G.D.: Reginal Ileitis: A Pathological and Clinical Entity. J. Amer. med. Ass. **99**, 1223 (1932).

Dyer, N.H., Stansfeld, A.G., Dawson, A.M.: The Value of Rectal Biopsy in the Diagnosis of Crohn's Disease. Scand. J. Gastroent. **5**, 491 (1970).

Ewe, K.: Colitis ulcerosa — Diagnose und Therapie. Klinikarzt **2**, 82 (1976).

Fahrlaender, H., Shalev, E.: Colitis ulcerosa; Verlaufsstudie an Hand von 160 über durchschnittlich $4^1/_2$ Jahre beobachteten Fällen. Dtsch. med. Wschr. **99**, 2141 (1974).

Farmer, R.G., Brown, C.H.: Ulcerative Proctitis: Course and Prognosis. Gastroenterology **51**, 219 (1966).

Georghiu, Th., Frotz, H.: Colitis ulcerosa. Leber-Magen-Darm **3**, 187 (1973).

Krauspe, C., Müller-Wieland, K., Stelzner, F. (Hrsg.): Colitis ulcerosa und granulomatosa. München/Berlin/Wien: Urban und Schwarzenberg 1972.

Lennard-Jones, J.E., Cooper, G.W., Newell, A.C., Wilson, C.W.E., Avery-Jones, F.: Observations on Idiopathic Proctitis. Gut **3**, 201 (1962).

Lennard-Jones, J.E., Lockart-Mummery, H.E., Morson, B.C.: Clinical and Pathological Differentiation of Crohn's Disease and Proctocolitis. Gastroenterology **54**, 1162 (1968).

Lockart-Mummery, H.E., Morson, B.C.: Crohn's Disease (Regional Enteritis) of the Large Intestine and its Distinction from Ulcerative Colitis. Gut **1**, 87 (1960).

Lockart-Mummery, H.E., Morson, B.C.: Crohn's Disease of the Large Intestine. Gut **5**, 493 (1964).

Otto, P., Huchzermeyer, H., Müller, H.: Makroskopische Befunde und histologisches Korrelat bei entzündlichen und tumorösen Dickdarmerkrankungen. In: Fortschritte d. gastroenterol. Endoskopie. Baden-Baden/Brüssel: H. Lindner, G. Witzstrock 1976.

Vandenbroucke, J., Vantrappen, G., Tytgat, G., Rutgeerts, L., Ponette, E.: Die Ileocolitis Crohn. Internist **9**, 335 (1968).

Watkinson, G.: Colitis ulcerosa. In: Klinische Gastroenterologie, hrsg. v. L. Demling, S. 399. Stuttgart: Thieme 1973.

Strahlenproktitis

Buie, L.A.: Practical Proctology, 2nd Ed. Springfield/Ill.: C.C. Thomas 1960.

Schier, J., Symmonds, R.E., Dahlin, D.C.: Clinicopathologic Aspects of Actinic Enteritis. Surg. Gynec. Obstet. **119**, 1019 (1964).

Schmitz, R.L., Chao, J.H., Bartolome, J.S.: Intestinal Injuries Incidental to Irradiation of Carcinoma of the Cervix of the Uterus. Surg. Gynec. Obstet. **138**, 29 (1974).

Ischämische Colitis

Baas, E.U.: Die ischämische Colitis. Dtsch. med. Wschr. **100**, 1247 (1975).

Ewe, K., Baas, E.U.: Durchblutungsstörungen des Gastrointestinaltraktes. Act. Geront. **7**, 135 (1977).
Lux, G., Frühmorgen, P., Zeus, J., Phillip, J.: Ischämische Kolitis-Amöbenkolitis-Strahlenkolitis. Differentialdiagnostische Aspekte. Z. Gastroenterol. **7**, 695 (1976)
Marston, A.: Clinical Features of Ischemic Colitis. Proc. roy. Soc. Med. **59**, 882 (1966).

16. Parasiten

(Tafel XIX/6)

Als Nebenbefund werden bisweilen bei der Rectoskopie Parasiten sichtbar. Am *häufigsten* handelt es sich um *Oxyuren*, seltener um Ascariden oder andere Helminthen.

17. Divertikulose – Diverticulitis

(Tafel XIV/5 u. 6)

Unter einem Divertikel versteht man eine Ausstülpung der gesamten Darmwand. Beim Dickdarmdivertikel handelt es sich jedoch zumeist um sogenannte *Pseudodivertikel*, bei denen es nicht mit zur Ausstülpung der Muscularis kommt, also um sog. Mucosahernien. Als auslösendes Moment werden angeborene Gewebsschäden bei muskulärer Hyperaktivität diskutiert, sowie eine mögliche pathogenetische Bedeutung der Ernährung; durch ballastarme Kost kommt es zu verstärkter Segmentation des Sigmas.

Die Häufigkeit der Divertikulosen beträgt 6–25%, sie nimmt mit dem Alter zu und beträgt bei 70jährigen über 40%. *Prädilektionsort des Divertikels ist das Sigma* (40%), was auf seine besondere Wandschwäche und zahlreichen Gefäßlücken zurückgeführt wird. Im Rectoskop sind Divertikel so gut wie *nie* nachzuweisen. Coloskopisch sind die Wandausstülpungen deutlich zu beobachten. Allerdings entziehen sich Divertikel mit engen Öffnungen dem endoskopischen Nachweis, sie lassen sich aber radiologisch gut bestimmen. *Problematisch* ist die Coloskopie bei der Divertikulose wegen der Gefahr der Perforation im Divertikelgrund bei zu starker Luftinsufflation oder bei Probeentnahme aus dem sehr dünnwandigen Divertikelgrund (Tafel XIV/6).

Die Folge der chronischen Diverticulitis ist eine Hypertrophie der Muscularis mit Verdickung der Darmwand, die bis zur Lumenverlegung führen kann. Dabei ist die Differenzierung zum in 5–10% bei der Diverticulitis zu beobachtenden Carcinom röntgenologisch so gut wie unmöglich. Somit ergibt sich in diesen Fällen ein besonderes Indikationsgebiet für die endoskopisch-bioptische Diagnostik. Mit fortschreitender Lumeneinengung läßt sich oft jedoch die Instrumentenspitze nicht bis zum eigentlichen stenotischen Bezirk vorführen, und bei schlechten Überblickverhältnissen ist die Treffsicherheit der gezielten Biopsie problematisch. Vorsicht bei Probeexcisionen: bei Entnahme aus dem Divertikelgrund besteht Gefahr der Perforation! Die akute Phase der Diverticulitis stellt wegen der erhöhten Perforationsgefahr eine Kontraindikation zur Coloskopie dar.

Literatur

Akovbiantz, A., Aeberhard, P., Arma, S.: Kolondivertikulose — Divertikulitis. Praxis **57**, 375 (1968).
Arfwidson, S.: Pathogenesis of Multiple Diverticula of the Sigmoid Colon in Diverticular Disease. Acta chir. scand. Suppl. 342 (1965).
Bargon, G.: Divertikulose und Divertikulitis des Dickdarmes. D.Ä **44**, 2293 (1964).
Bünte, H.: Divertikulose-Divertikulitis. Dtsch. med. Wschr. **101**, 247 (1976).
Pross, E.: Zur Koinzidenz Sigma-Karzinom-Sigmadivertikulitis. Therapiewoche **22**, 1595 (1972).
Reifferscheid, M.: Kolondivertikulitis. Aktuelle Probleme der Diagnostik und Therapie. Symposion Aachen 1973. Stuttgart: Thieme 1974.

20. Pneumatosis cystoides intestinalis

(Tafel XVI/5 u. 6)

Bei der Pneumatosis cystoides intestinalis handelt es sich um Gascysten von Stecknadelkopf- bis Kirschgröße, die sich in der Wand des Dünndarms, des Coecums und im linksseitigen Dickdarm finden. Aber auch ein Befall des gesamten Colons ist beschrieben worden. Die Erkrankung kann in jeder Altersstufe auftreten. Histologisch lassen sich bei Serienschnitten kommunizierende Systeme von Gascysten nachweisen, die bei Jugendlichen submucös und im höheren Alter subserös liegen. Die Zusammensetzung des Gases entspricht der der Atemluft.

Ätiologisch wird die Möglichkeit von Lufteintritt durch kleine Schleimhautdefekte, z.B. nach einer Rectoskopie, in die Darmwand diskutiert. Häufig finden sich begleitend zur Pneumatosis cystoides andere Abdominalerkrankungen, wie Ulcus- oder Magencarcinom, eine Pylorus- oder Darmstenose oder eine Mesenterialtuberkulose. Eine andere, tierexperimentell belegte Vorstellung erwägt die Möglichkeit, daß Atemluft durch geplatzte Alveolen, z.B. bei Lungenerkrankungen, über das Mediastinum retroperitoneal entlang der Gefäße in die Darmwand gelangt.

Endoskopisch imponieren die Cysten wie kugelige Schleimhautvorwölbungen und ähneln sehr stark transparenten, sessilen Polypen. Bei der Biopsie entweicht aus den Cysten Luft, so daß sie kollabieren. Die Diagnose wird jedoch zumeist radiologisch durch Leeraufnahmen und Kontrastuntersuchung gestellt, wobei der Darm von kugeligen, dicht aneinander liegenden Gasblasen begrenzt ist, die ihn perlschnurartig eindellen.

Die *klinische Symptomatologie* ist ähnlich der des irritablen Colons: uncharakteristische Abdominalspasmen mit ausgeprägter Obstipation, seltener Diarrhoe, Blut- oder Schleimabgang. Als Komplikation kann durch Bersten einer Cyste ein Pneumoperitoneum entstehen. Eine Behandlung ist nur bei Durchfällen mit Blut- und Schleimabgang notwendig, wobei sich die Gabe von nicht resorbierbaren Antibiotica oder Wismuth empfiehlt. Die die Pneumatose begleitenden funktionellen Darmbeschwerden sollten wie ein irritables Colon behandelt werden. Resektionen befallener Darmabschnitte sind nur bei Komplikationen, wie Okklusion oder Infektion, notwendig.

Literatur

Cottier, H., Golay, L., Mangold, R.: Pathogenese und Klinik der Pneumatosis cystoides des Dickdarmes. Gastroenterologia (Basel) **92**, 224 (1959).

Culver, G. J.: Pneumatosis Intestinalis with Associated Retroperitoneal Air. Report of a Complication of Severe Asthma. J. Amer. med. Ass. **186**, 160 (1963).

Elliott, G. B., Elliott, K. A.: The Roentgenologic Pathology of So-called Pneumatosis Cystoides Intestinalis. Amer. J. Roentgenol. **89**, 720 (1963).

Fahrländer, H.: Pneumatosis cystoides intestinalis. In: Klinische Gastroenterologie, Bd. I, (hrsg. v. L. Demling). Stuttgart: Thieme 1973.

Keyting, W. S., McCarver, R. R., Kowarik, J. L., Daywitt, A. L.: Pneumatosis Intestinalis: A New Concept. Radiology **76**, 733 (1961).

Koss, C. G.: Abdominal Gas Cysts (Pneumatosis cystoides intestinalis). Arch. Pathol. **53**, 523 (1952).

21. Solitäres Rectumulcus

(Tafeln XII/6; XIX/1)

Einzeln stehende Ulcera des Rectums sind zumeist traumatisch bedingte Verletzungen der Rectumschleimhaut bei rectaler Temperaturmessung, seltenere Ursachen sind digitale Manipulationen bei Coprostase oder sexueller Abnormität. Solitäre Rectumulcera können auch Ausdruck eines Morbus Crohn-Befalls des Rectums sein. Ganz selten kommen Magenschleimhautinseln als Ursachen für Rectumulcera vor, zumeist jedoch bleibt die Genese unklar. Vereinzelt sind die Ulcera kombiniert mit auf den terminalen Abschnitt des Rectums begrenzten Schleimhautentzündungen, die durch Ödem, Rötung, umschriebene, weißlich fleckige Schleimhautverdickungen und durch eine starke Schleimsekretion gekennzeichnet sind. Die Veränderungen liegen vorwiegend im ventralen Rectumabschnitt und sind gegenüber der darüber gelegenen normalen Schleimhaut scharf abgesetzt. Neiger (1976) bezeichnet diese Veränderung als Proktitis terminalis simplex. Als Ätiologie scheinen lokale Noxen in Frage zu kommen, wie lokale medikamentöse oder mechanische Reizung der Schleimhaut. Diskutiert werden auch mechanische Alterationen durch Strangulation prolabierender Schleimhautareale mit Abdrosselung der arteriellen Blutzufuhr bei chronischer Obstipation und starkem Pressen während der Defäkation.

Nicht selten werden die chronischen Blutungen und entzündlichen Indurationen mit Carcinomen verwechselt, was schließlich zur Rectumamputation führt. Ausreichende bioptische Sicherung der Veränderungen ist deshalb dringend anzuraten. Ohne sicheren Carcinomhinweis sollten solitäre Rectumulcera nicht einem operativen Vorgehen zugeführt werden.

Literatur

Cox, R. W.: A Case of Gastric Heterotopia in the Rectum. J. Path. Bact. **84**, 427 (1962).

Gordon, B. S., Clyman, D.: Barium Granuloma of the Rectum. Gastroenterology **32**, 943 (1957).

Madigan, M. R., Morson, B. C.: Solitary Ulcer of the Rectum. J. Brit. Soc. Gastroent. **10**, 871 (1969).

Neiger, A.: Proctitis terminalis simplex. Z. Gastroenterol. **7**, 694 (1976).

Riek, M., Halter, F., Stirnemann, H.: Das solitäre Rektalulkus. Schweiz. med. Wschr. **101**, 758 (1971).

22. Anastomosen (ileo-rectale; colo-rectale)

Bei Dickdarmprozessen, die das Rectum freilassen und eine Resektion erfordern (Morbus Crohn, Diverticulitis, Neoplasien) ist die Anastomose rectoskopisch einsehbar (Tafeln XIV/1; XIX/4). Bei Kontrolluntersuchungen muß besonders auf Rezidive geachtet werden, die im Fall des Morbus Crohn bereits sehr frühzeitig rectoskopisch sichtbar sind.

23. Fisteln (recto-vaginale, -vesicale)

(Tafel XIX/2 u. 3)

Klinisch manifeste Fisteln — Stuhl aus der Vagina, Luft aus der Harnröhre — sind endoskopisch oftmals nur schwer nachzuweisen, weil der Fistelgang in ödematös geschwollener Schleimhaut verborgen liegt. Größere Defekte finden sich besonders nach Bestrahlungen und bei Morbus Crohn.

24. Uretertransplantate

Bei Abflußhindernissen der Harnblase und Harnröhre, die operativ nicht beseitigt werden können, werden die Ureteren in das Rectum eingepflanzt, sog. Rectumblase, und sind rectoskopisch sichtbar. Sie imponieren als kleine Erhebungen, die man durch intravenöse Injektion von Farbstoffen, wie Methylenblau oder Phenolrot, durch die Farbstoffausscheidung sichtbar machen kann.

25. Meläna

(Tafel XIX/5)

Bei der Angabe „*Blut im Stuhl*" sollte versucht werden, die Blutungsquelle rectoskopisch weiter abzuklären. Meläna spricht für Blutungsquellen aus dem oberen Magen-Darm-Trakt und oberen Coecalbereich, während tiefer gelegene Blutungsquellen häufig zu Abgang von flüssigem Blut oder Blutcoagula führen. Allerdings kann es auch bei Blutungen aus dem Hämorrhoidalbereich (z.B. Fieberthermometerverletzung) zu Blutungen kommen, welche sich in liegender Position nach cranial ausbreiten und durch Bakterieneinwirkung am nächsten Tag als Teerstuhl imponieren.

26. Fremdkörper

Verschiedene unverdaute Nahrungsmittel, wie Schalen von Obst, Gemüsen, Salaten, Fruchtkerne und dgl., können rectoskopisch sichtbar werden. Verschluckte Fremdkörper können den gesamten Magen-Darm-Trakt passieren und vor dem Sphincter ani internus liegen bleiben. Von dort sollten sie instrumentell entfernt werden.

Bildteil – Tafel I–XIX

Tafel I/1–6

1 Capillarnetz in der Ampulla recti. Die feinverästelten Gefäße bei entfaltetem Dickdarm stellen ein wesentliches endoskopisches Kriterium für eine normale Schleimhaut dar.

2 Vermehrter Füllungszustand der Gefäße. Der Füllungszustand der Schleimhautgefäße ist großen funktionellen Variationen unterworfen (Psyche, Irritation durch Einläufe usw.). Vermehrte Gefäßfüllung und Schleimhautrötung sind ohne pathologische Bedeutung, solange die Verästelungen der kleinen Gefäße deutlich sichtbar sind, und sollte nicht zu der Fehlinterpretation „leichte Colitis" führen.

Artifizielle Läsionen

3 Faktitive Blutung. Die punktförmigen Blutungen wurden durch Schleimhautabrasion vom Rectoskop beim Passieren einer Darmbiegung erzeugt.

4 Faktitive Erosionen. Im Zentrum des Bildes ist eine Erosion hinter den auslaufenden Morgagnischen Falten, ventral gelegen, sichtbar. Diese Stelle liegt in gerader Verlängerung des Analkanals. Die Erosion wurde durch ein Fieberthermometer erzeugt. Das Symptom, das zur Untersuchung führte, war eine Meläna: nach dem abendlichen Fiebermessen war über Nacht eine Blutung in die stuhlgefüllte Ampulle und die Umwandlung von Blut in Teerstuhl erfolgt.

5 Faktitives Ulcus. Das Ulcus wurde durch unsachgemäße Applikation des Reinigungseinlaufes durch das Rohr des Klysmas verursacht. Es stellte einen Nebenbefund dar und machte keine subjektiven Beschwerden.

6 Zustand nach Saugbiopsie aus der ebenen Schleimhaut ohne nennenswerte Nachblutung; linsenförmiger Schleimhautdefekt.

1

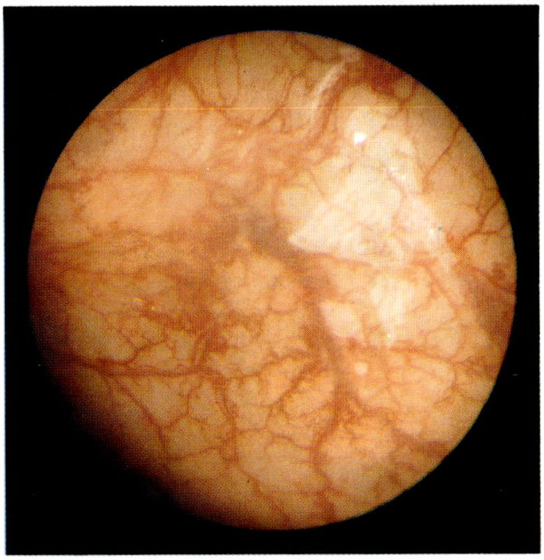

2

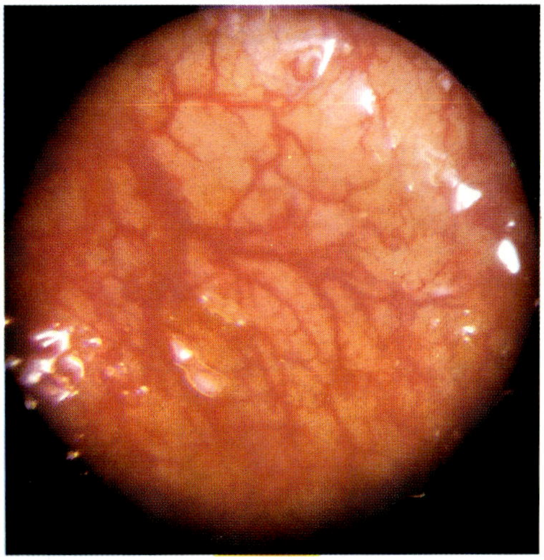

3

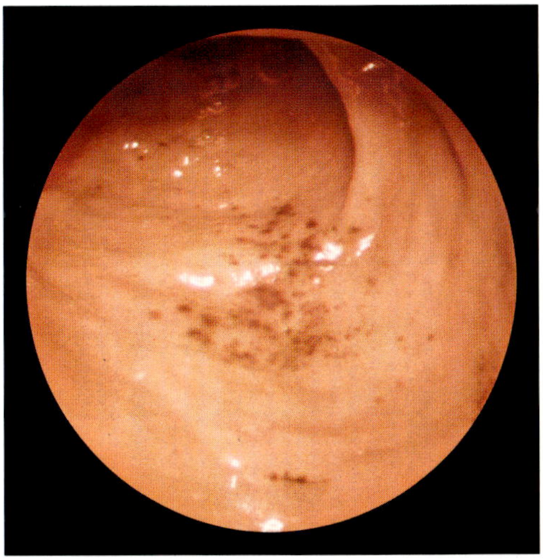

4

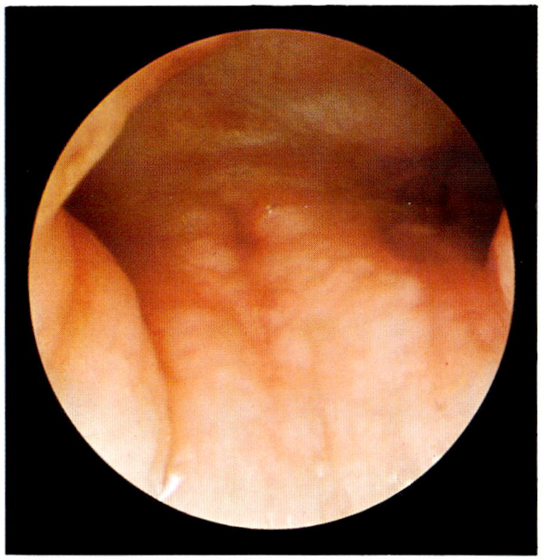

5

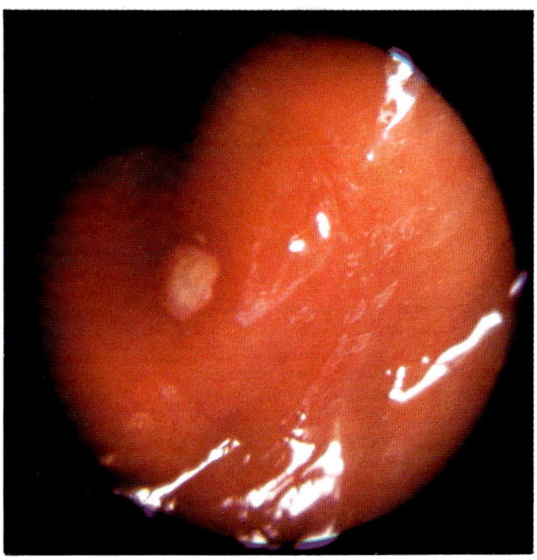

6

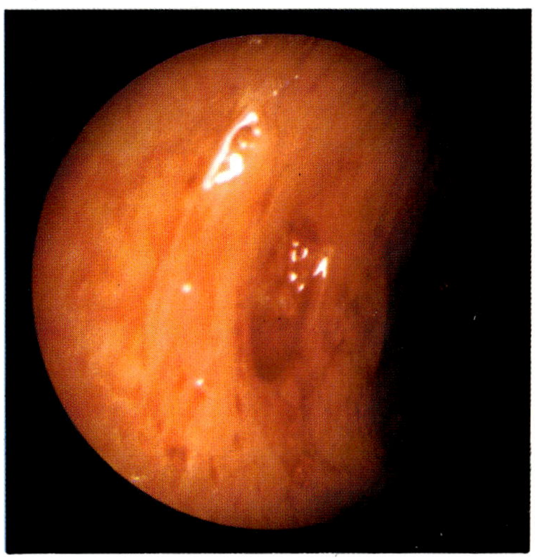

Tafel II/1–6

1 Melanosis recti. Leopardfellartige Schleimhautzeichnung als Ausdruck von chronischem Laxantienabusus mit pflanzlichen Abführmitteln.

2 Melanosis recti. Starke Dunkelfärbung der Schleimhaut, aus der die Lymphfollikel weißlich herausscheinen.

3 Akutes Perianalekzem, handflächengroße, scharf abgesetzte Rötung mit vereinzelten Macerationseffekten.

4 Chronisches Analekzem, stark juckend, teilweise mit weißlich verdickter Analhaut (Lichenifizierung).

5 Chronisches Analekzem, mykotische Superinfektion, mit Ausbreitung an die Nates; typisch für die Mykose ist die zentrale Abheilung mit Randbetonung.

6 Marisque (Analläppchen), häufiger, harmloser Befund von unterschiedlicher Größe, wahrscheinlich Folge vorausgegangener Perianalthrombose. Marisquen füllen sich nie mit der Bauchpresse und sind deshalb von den äußeren Hämorrhoiden zu differenzieren.

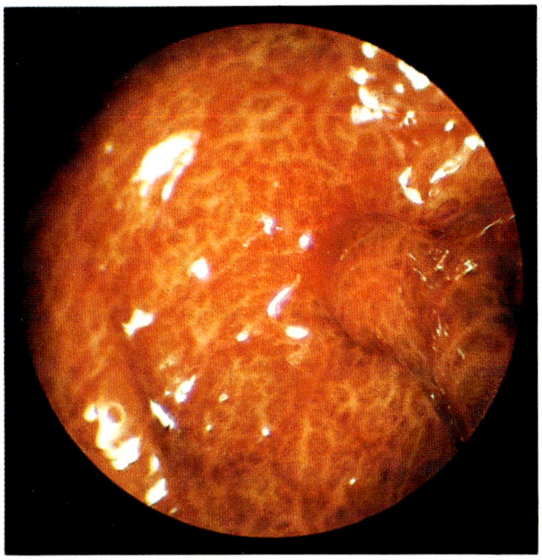
1

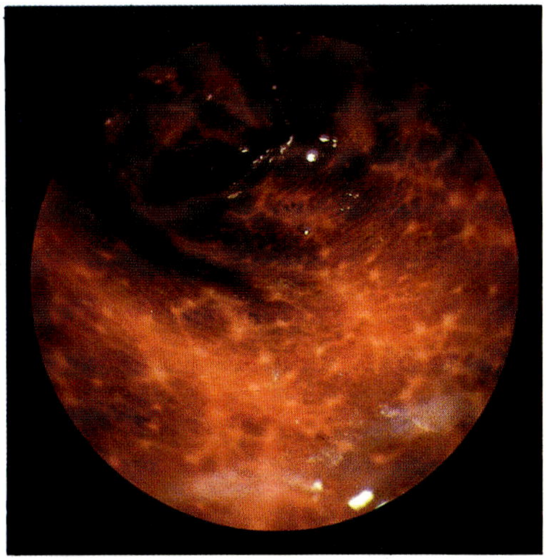
2

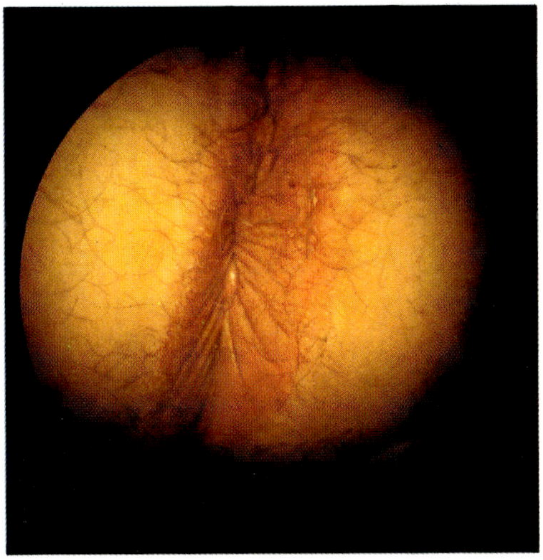
3

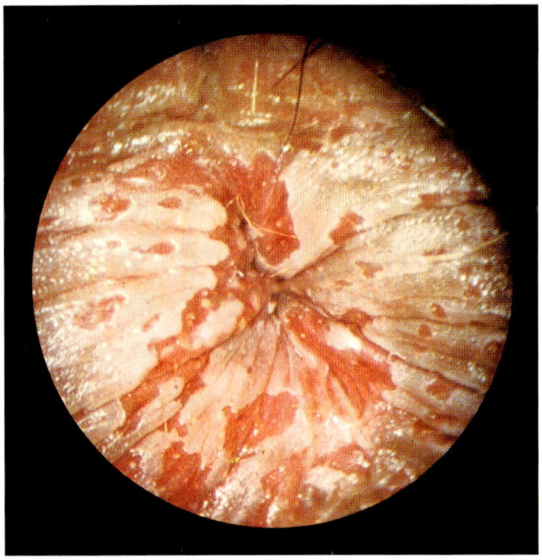
4

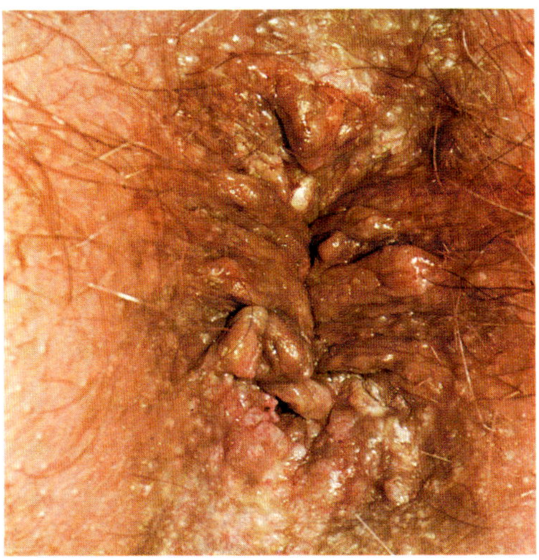
5

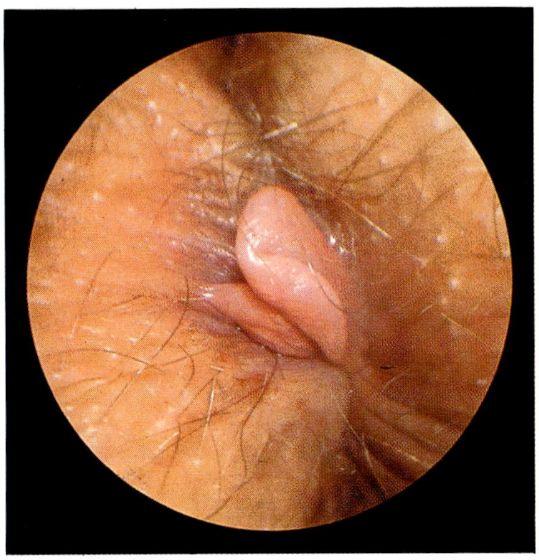
6

Tafel III/1–6

1 Kirschgroße, bläulich verfärbte perianale Thrombose bei 6 Uhr, die plötzlich aufgetreten war und starke Beschwerden verursachte. Als Nebenbefund: Marisque bei 12 Uhr.

2 Stichincision einer perianalen Thrombose mit dem spitzen Skalpell ohne vorherige Anästhesie.

3 Unter leichtem Druck springt der Thrombus heraus. Patient beschwerdefrei.

4 Perianale Thrombose nach Spontanperforation. Diese Veränderungen sind nicht mehr schmerzhaft, bluten aber oft tagelang leicht. Auf Druck läßt sich der Thrombus leicht exprimieren.

5 Äußere Hämorrhoiden, nicht gefüllt, wulstige, nicht schmerzhafte, weiche Knoten, von normalem Plattenepithel bedeckt.

6 Gleiche äußere Hämorrhoiden wie Tafel III/5 nach Bauchpresse, Knoten füllen sich prall-elastisch auf, lassen sich mit dem Finger ausdrücken.

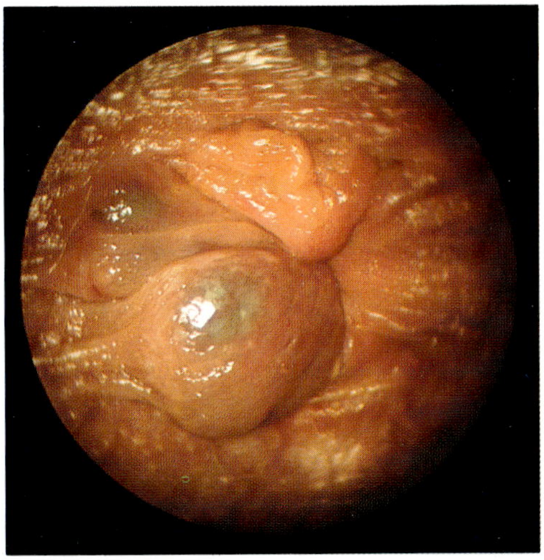
1

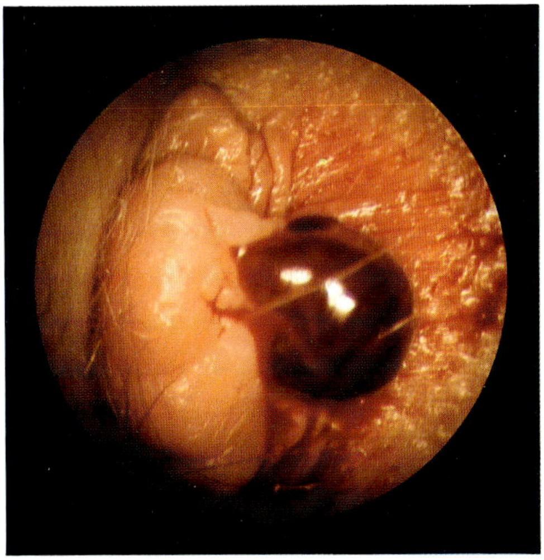
2

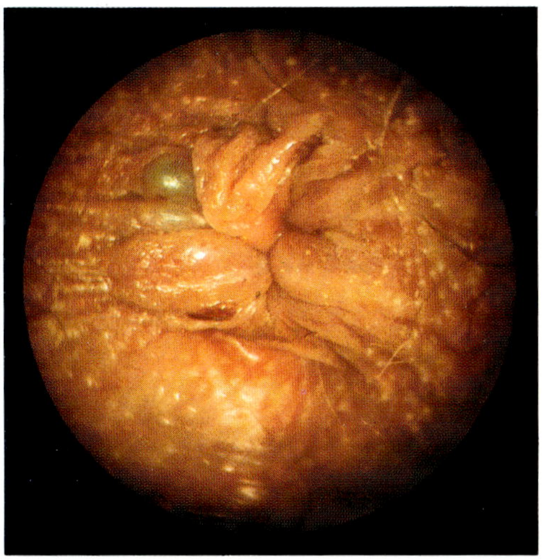
3

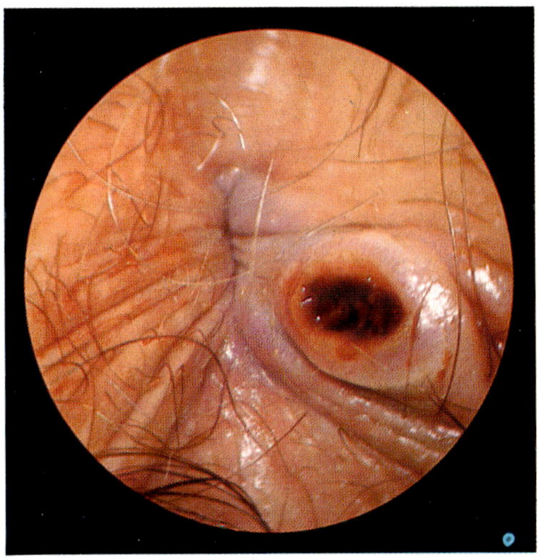
4

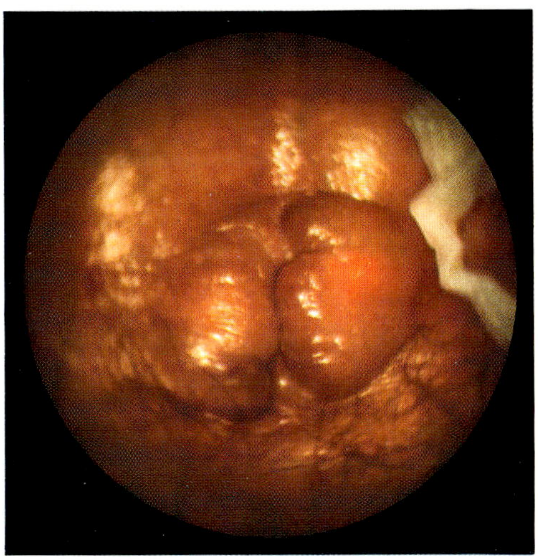
5

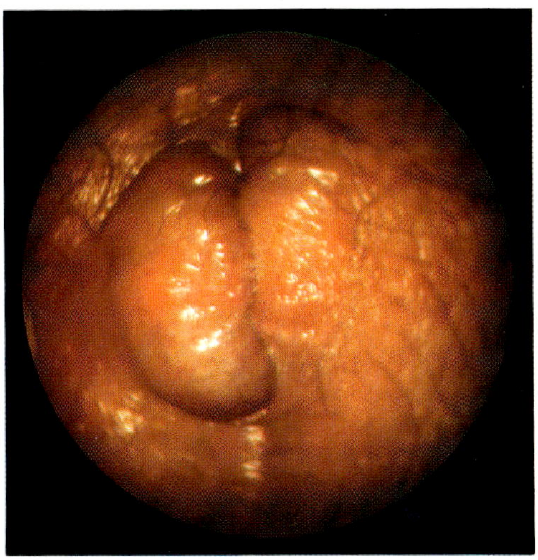
6

Tafel IV/1–6

1 Akute Analfissur, längsovales Ulcus an typischer Stelle im Bereich der hinteren Commissur (12 h bei Knie-Ellenbogen-Lage) mit grau-gelblichem, beschmiertem Grund. Wegen starker Schmerzhaftigkeit Untersuchung erst nach Lokalanästhesie.

2 Chronische Analfissur, 6 Wochen alt. Unterminierte, leicht callöse Ränder, die typische „Vorpostenfalte" weist auf den Sitz der Fissur hin. Fissurgrund gesäubert. Oft sieht man am Boden der Fissur im chronischen Stadium die querverlaufenden Fasern des Sphincter ani internus.

3 Spitze Condylome (Condylomata acuminata), warzenförmige, rasenartig angelegte, kleine Tumoren von sandfarbenem Aussehen.

4 Spitze Condylome, auf den Analkanal übergreifend.

5 Breite Condylome (Condylomata lata), nässende, breitbasig aufsitzende Papeln, im Gegensatz zu den fingerförmigen, spitzen Condylomen.

6 Breite Condylome (Condylomata lata), breitbasig aufsitzende Papeln an der vorderen Commissur bei Lues II.

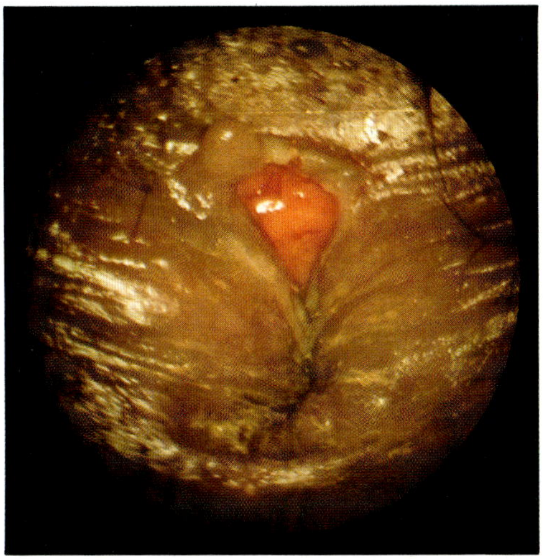
1

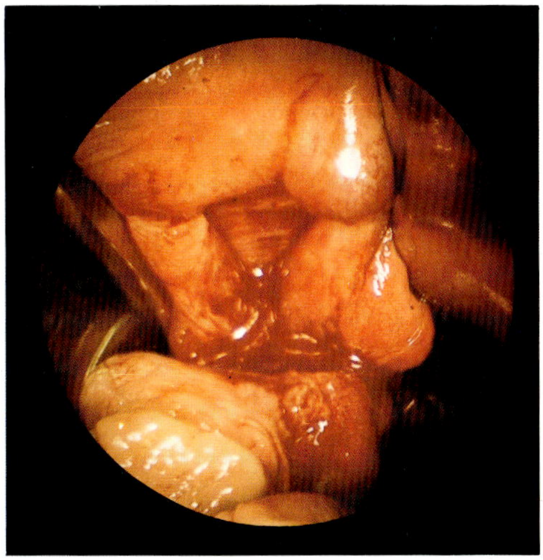
2

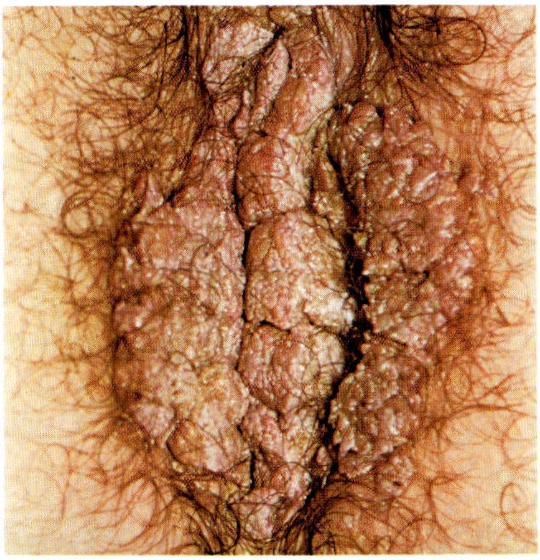
3

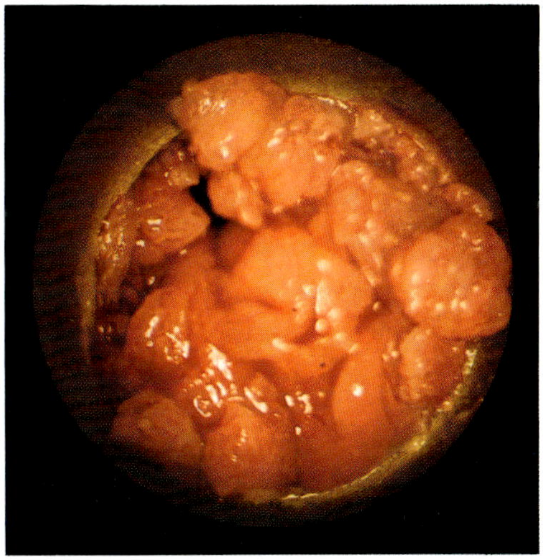
4

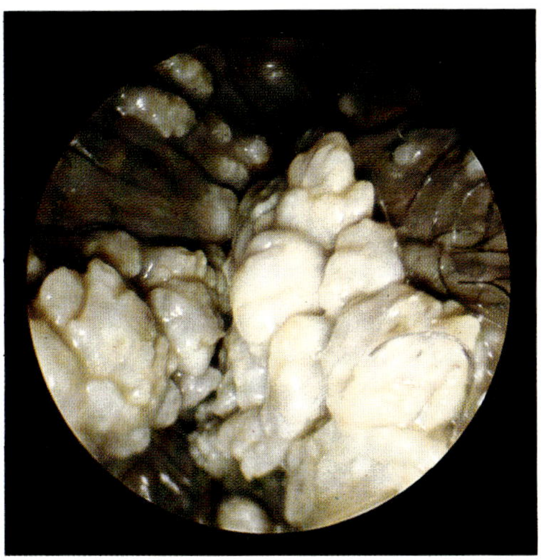
5

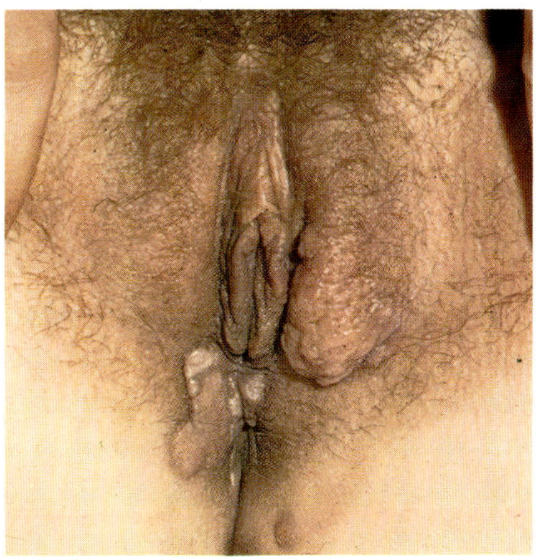
6

Tafel V/1–6

1 Analfistel mit einliegender Knopfsonde, transsphinctär.

2 Die durchbohrte Knopfsonde ist mit dem nicht resorbierbaren Nylonfaden durch die Fistel geführt.

3 Schweres perianales Fistelleiden mit Ausbildung einer Hufeisen- oder Fuchsbaufistel als Komplikation bei Morbus Crohn.

4 Hufeisenfistel mit Fadendrainage; unter dieser Therapie sind die perianalen Infiltrate zurückgebildet, weitgehend reizlose sekundäre Fistelöffnungen.

5 Inkomplette Analfistel an der hinteren Commissur mit Hakensonde komplettiert.

6 Eingang einer inkompletten inneren Fistel mit einliegender Hakensonde, dargestellt im Analspreizspeculum. Derartige Veränderungen sind allein mit Hilfe der Speculumuntersuchung zu objektivieren.

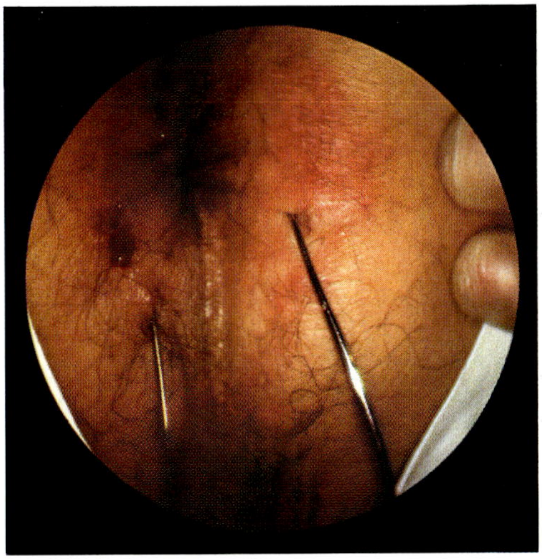
1

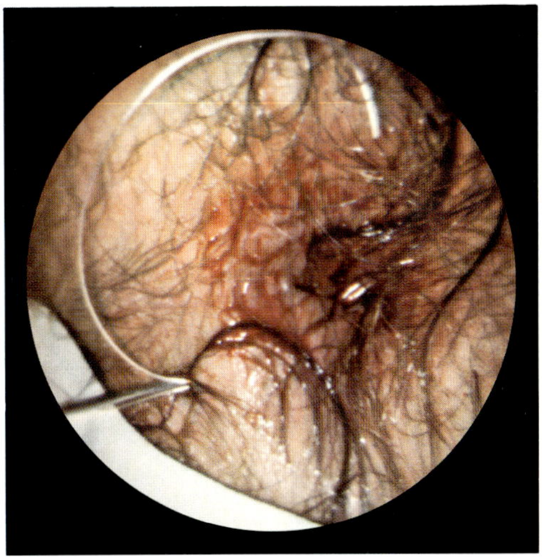
2

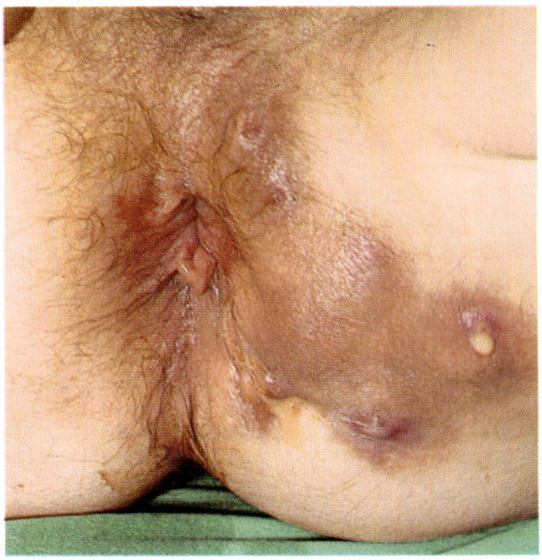
3

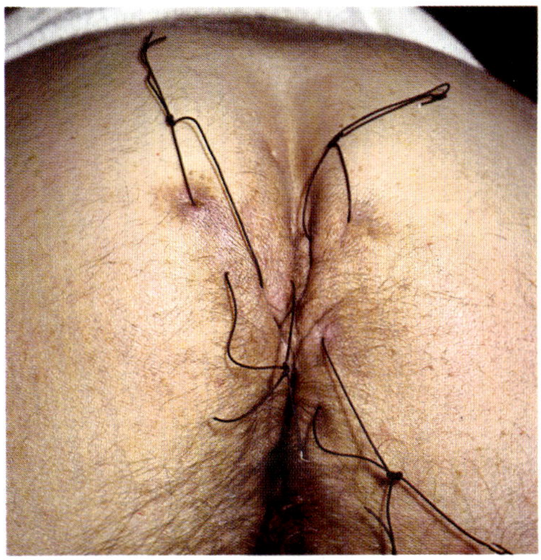
4

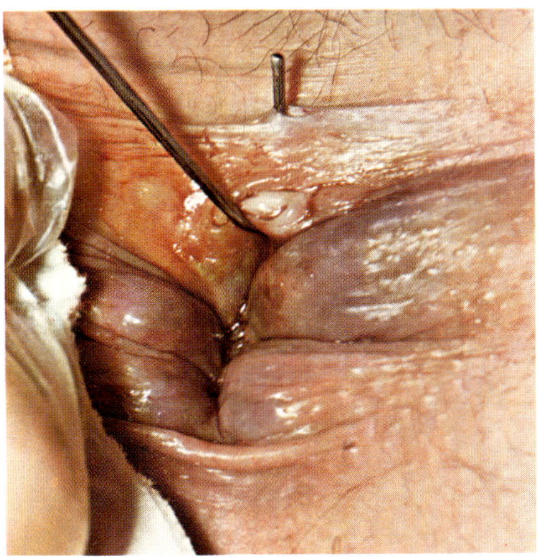
5

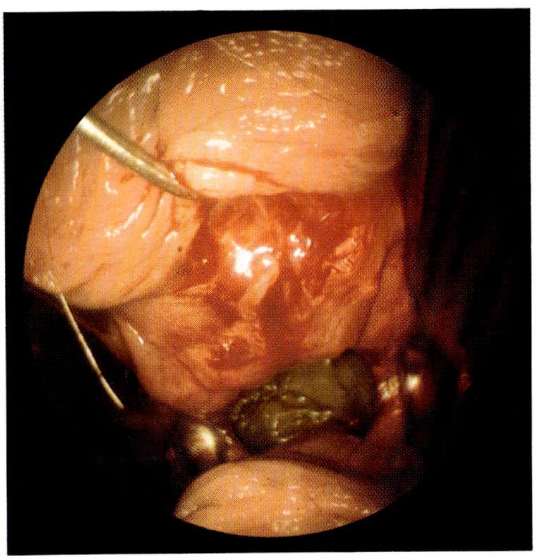
6

Tafel VI/1–4

1 Sekundärer Analprolaps, Endstadium des Hämorrhoidalleidens, Hämorrhoiden III. Grades, die Analrandknoten sind reponibel und von Schleimhaut bedeckt im Gegensatz zu prolabierenden Analfibromen, Marisquen oder Analcarcinomen. Die Schleimhaut wölbt sich wulstig oder knotenförmig vor und ist entzündlich verändert. Nicht selten sind die prolabierten Knoten livide prall-elastisch, besonders ausgeprägt nach Strangulation durch den Sphincter ani.

2 Analcarcinom mit geringen Beschwerden und langsamem Wachstum bei einer 75jährigen Patientin. Die Ähnlichkeit mit dem in Tafel VI/1 dargestellten Analprolaps macht verständlich, warum das Carcinom erst ein 3/4 Jahr nach einer ersten Untersuchung vermutet und zur weiteren Untersuchung überwiesen wurde.

3 Totaler Rectumprolaps mit Ausstülpung aller Wandschichten, zirkulär angeordnete Faltenbildung, teleskopartiges Aussehen.

4 Analcarcinom, durch die Nekrosebildungen, seine Härte bei der Palpation und die sehr unregelmäßige Oberfläche makroskopisch von Marisquen und prolabierten Hämorrhoiden III. Grades zu differenzieren. Zur Sicherung Probeexcisionen unbedingt erforderlich. Häufig werden derartige Befunde — wie auch in diesem Fall — als „Hämorrhoiden“ fehlgedeutet.

1
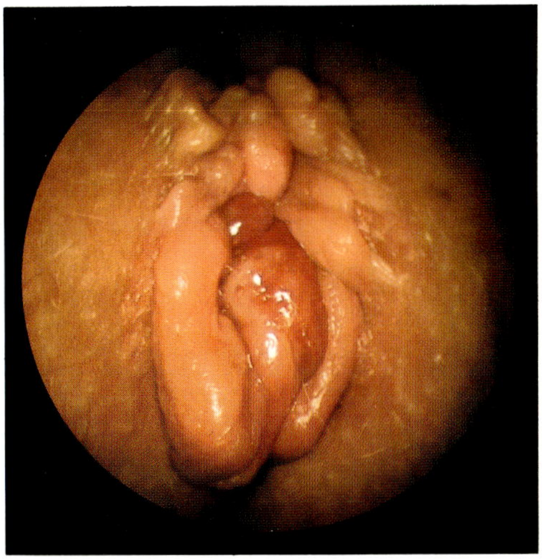
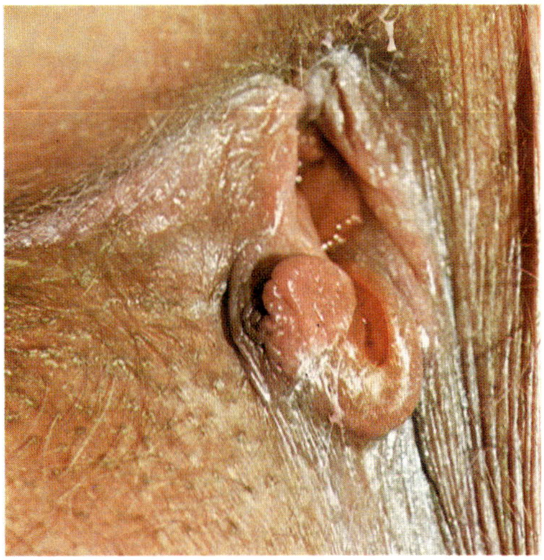
2
3
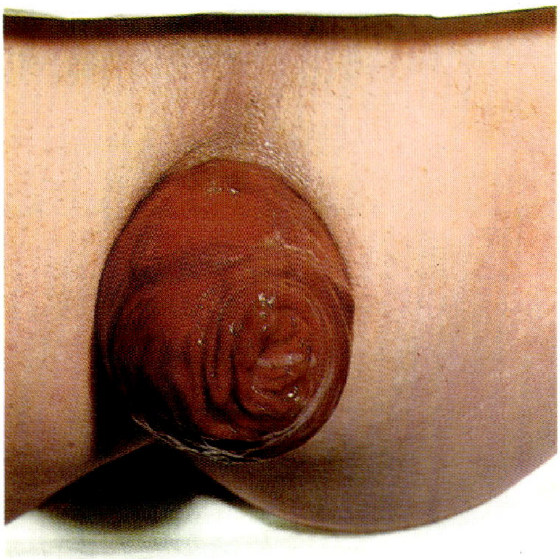
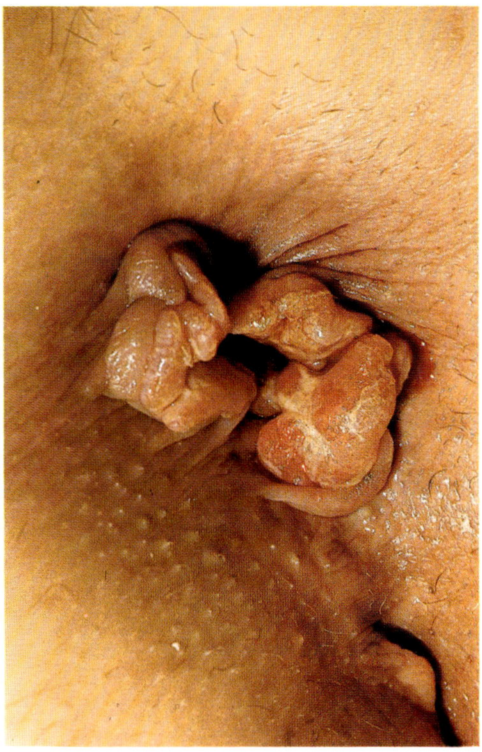
4

Tafel VII/1–6

1 Eitrige Anitis bei frischer Lues. Aus dem Analkanal entleert sich Eiter. Bei 10 Uhr werden Condylomata lata sichtbar. Das Bild stammt von einer Prostituierten, die wegen starker Schmerzen in der Analregion kam, welche zunächst an eine frische Analfissur denken ließen.

2 Akute Kryptitis-Proktitis. Im Vordergrund sind die weißlichen Morgagnischen Papillen sichtbar. Die Morgagnischen Falten mit den dazwischen liegenden Krypten sind ödematös und diffus gerötet. Subjektive Beschwerden: Druck im After, Nässen und Jucken am Anus.

3 Hypertrophe Analpapille („Katzenzahn"). Von rechts ragt eine hypertrophe Analpapille in den Analkanal. Sie ist Folge von entzündlichen Prozessen in dieser Region. Sie kann im Gegensatz zu den weichen, schwammigen Hämorrhoiden bei der digitalen Untersuchung getastet werden.

4 Analfibrome. Zwei Fibrome sind nach außen prolabiert.

5 Flottierendes Analfibrom. Von oben hängt ein gestieltes, weißliches Gebilde in den Analkanal hinein. Es handelt sich um ein Analfibrom, ein stärker ausgeprägtes Stadium einer hypertrophen Analpapille. Das Analfibrom ist keine Neoplasie und besitzt somit keine maligne Potenz.

6 Das Fibrom ist durch den Analkanal in das Rectum prolabiert. Während des Stuhlgangs fällt es oft nach außen vor und wird mitunter durch den Sphincter am Zurückgleiten gehindert und kann damit Beschwerden verursachen.

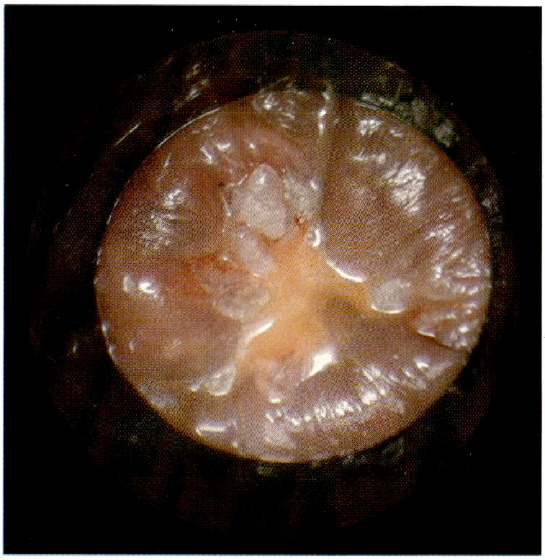

1

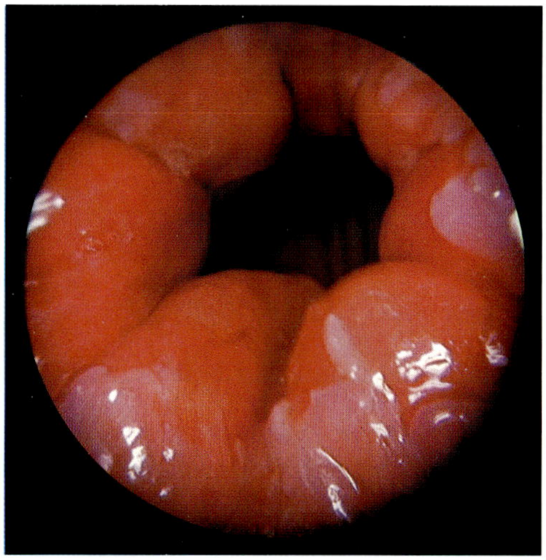

2

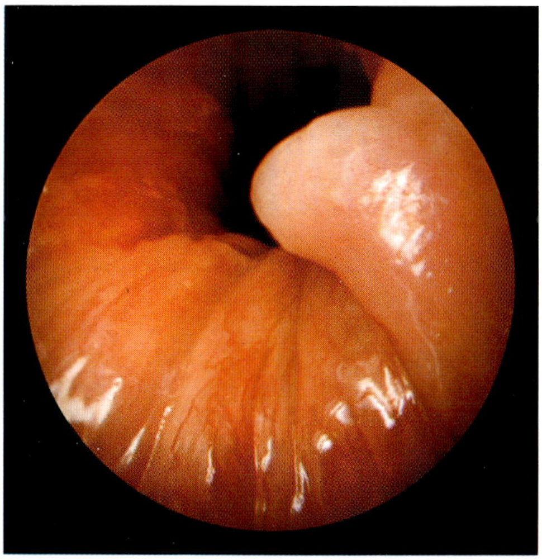

3

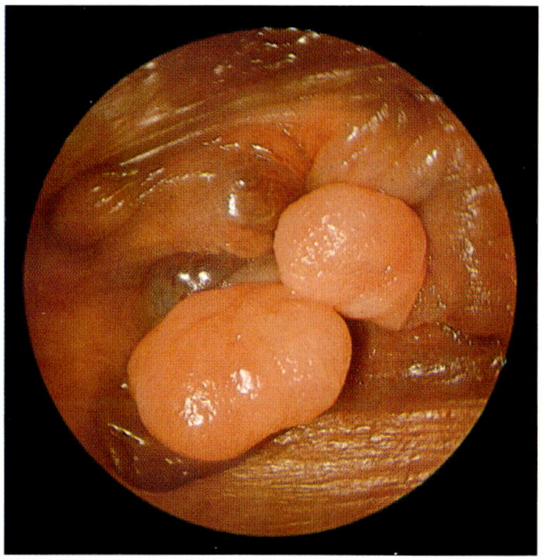

4

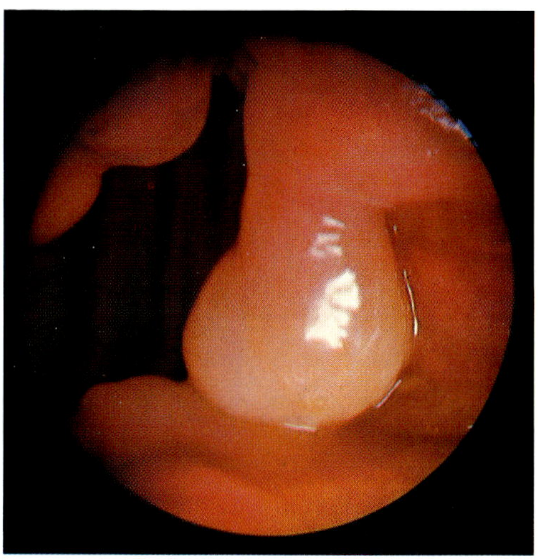

5

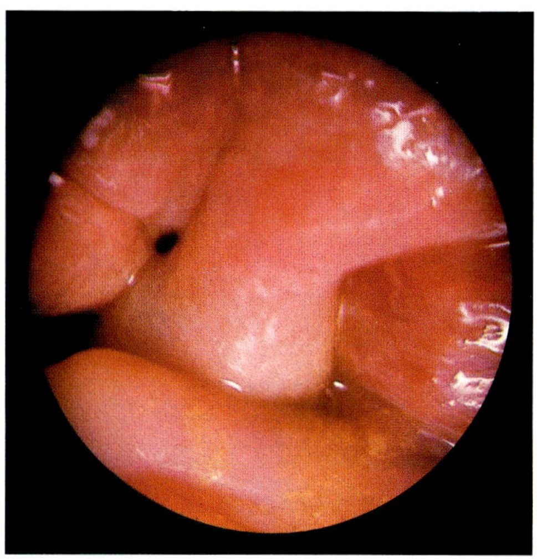

6

Tafel VIII/1–6

1 Hämorrhoiden I. Grades. Die Hämorrhoidenknoten ragen in das Endoskop hinein ohne jedoch vorzufallen. Bei 2 und 10 Uhr sind gerötete Bezirke sichtbar, die oberflächlichen Schleimhautdefekten entsprechen, aus denen die Hämorrhoidenblutung stammt.

2 Hämorrhoiden II. Grades. Der Hämorrhoidenknoten ist weit in das Proktoskop prolabiert. Nach der Defäkation trat er zwar aus dem Anus heraus, retrahierte sich aber spontan.

3 Hämorrhoiden III. Grades (Analprolaps). Der Hämorrhoidenknoten ist nach außen prolabiert und gleitet spontan nicht wieder zurück. Der rötliche Schleimhautüberzug hebt ihn gegenüber den umgebenden Marisquen ab.

4 Hämorrhoiden I. Grades. Die Hämorrhoide ragt in das Proktoskop mit dem seitlichen Fenster hinein. Auch hier besteht eine oberflächliche, leicht blutende Schleimhautläsion.

5 Hämorrhoidensklerosierung. Mit einer um ca. 45° abgebogenen Nadel wird an der Basis der Hämorrhoide eingestochen und streng submucös 0,1–0,3 ml einer 20% chininhaltigen Lösung eingespritzt.

6 Spritzenulcus. Bei zu oberflächlicher Injektion des Sklerosierungsmittels kommt es zu Schleimhautnekrosen und Ulcera, die ohne Kenntnis der Entstehungsursache mit einem Carcinom verwechselt werden können. Treten solche Ulcera bei Patienten mit Gerinnungsstörungen (z.B. Marcumar-Behandlung; Hämophilie) auf, kann es daraus zu schwer beherrschbaren Blutungen kommen.

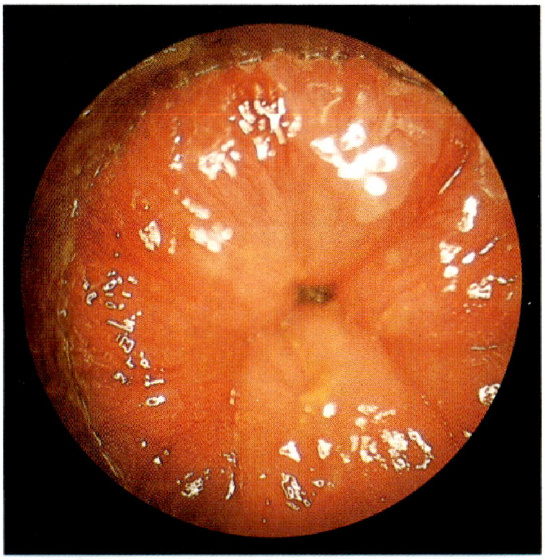
1

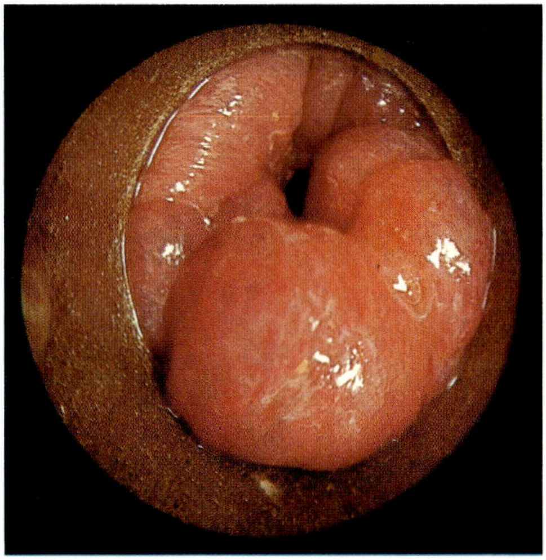
2

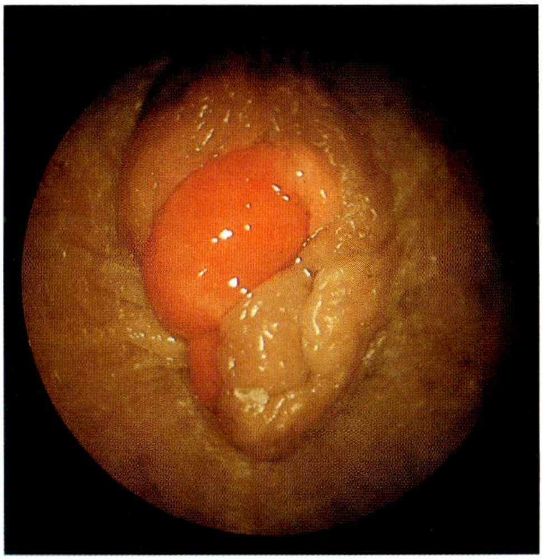
3

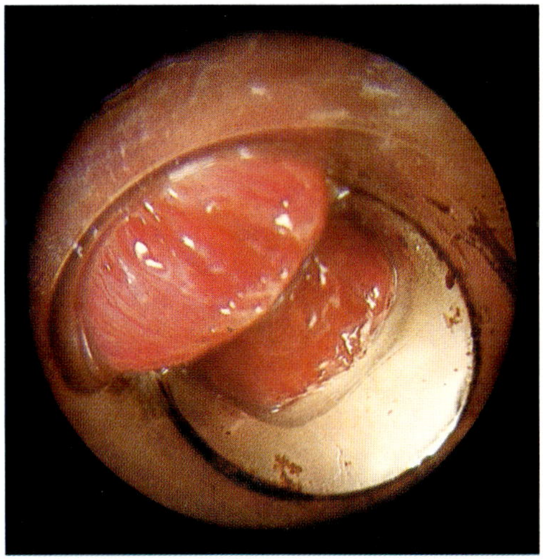
4

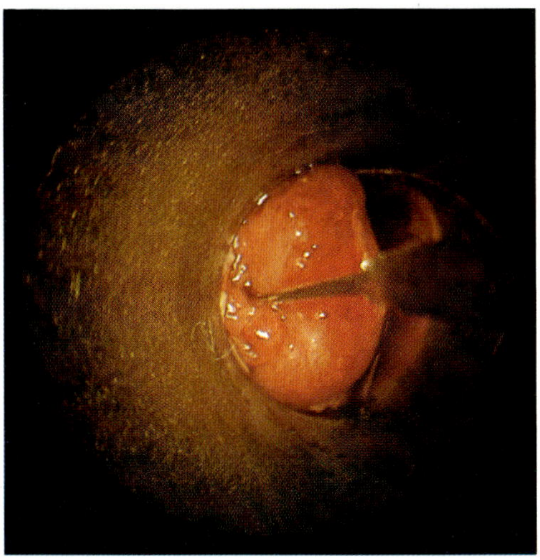
5

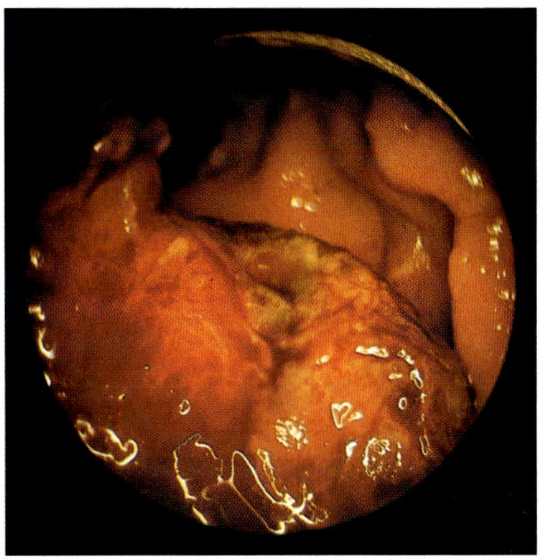
6

Tafel IX/1–6

1 Proktitis bei ischiorectalem Absceß. Die Schleimhaut ist ödematös, die Gefäßzeichnung aufgehoben. Unten springt eine längs verlaufende Falte in das Darmlumen vor. Es bestanden dumpfe Schmerzen in der Analregion. Von außen war kein pathologischer Befund zu erheben.

2 Bei einer Biopsie aus dieser Falte entleerte sich Eiter im Schwall, der Absceß drainierte sich durch das Rectum nach außen.

3 Kryptitis-Proktitis. Bei entzündlichen Veränderungen im Bereich des Anus kommt es häufig zu einer Mitbeteiligung der untersten Rectumabschnitte, die sich, wie hier, in einer starken Rötung manifestiert.

4 Strahlenproktitis. Bei 8 cm ist ein quer verlaufender, weißlicher Bezirk sichtbar, dessen Umgebung bereits bei Berührung leicht blutet. Seit einer Radiumbestrahlung wegen Genitalcarcinom vor 1 Jahr traten mitunter Blutungen auf, die in letzter Zeit an Stärke zunahmen.
Histologie: Fibrose und Vasculitis, kein Anhalt für Malignität.

5 Strahlenproktitis. Im Vordergrund bestehen ausgeprägte Nekrosen, in den Randbezirken frisch entzündliche Bezirke. Oberhalb 10 cm ist bereits eine mäßige Stenose eingetreten. Es lag ein Zustand nach Bestrahlung eines Blasencarcinoms vor. Wegen starker Schmerzen und zunehmender Stenose wurde das Anlegen eines Anus praeter naturalis erforderlich. Auch hier bestand histologisch kein Anhalt für Malignität in der Rectumbiopsie.

6 Strahlenproktitis. Es liegt das Spätstadium einer Strahlenproktitis vor, bei der lediglich noch eine Blutungsneigung weiter bestand.

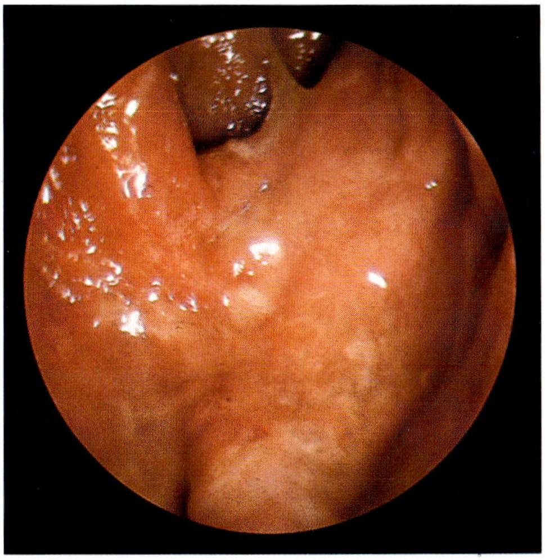

1

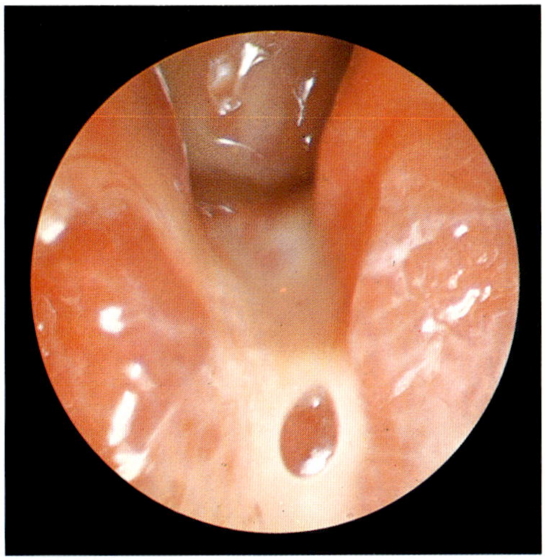

2

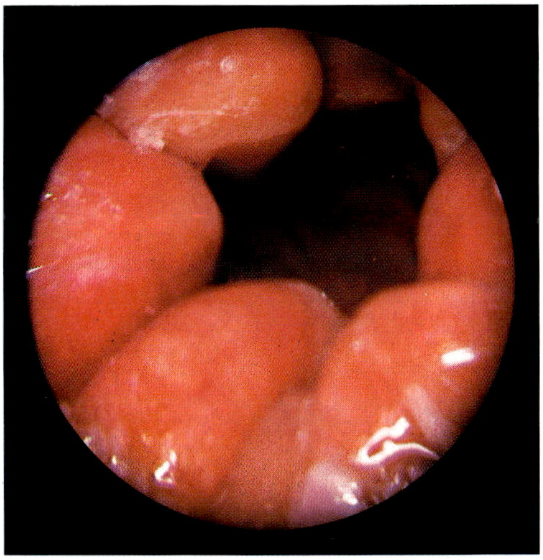

3

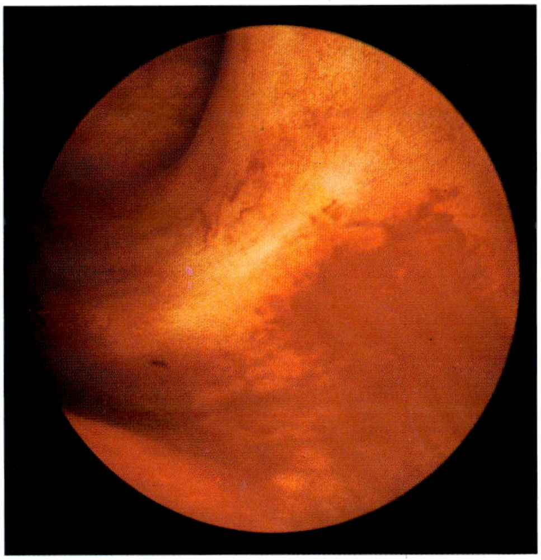

4

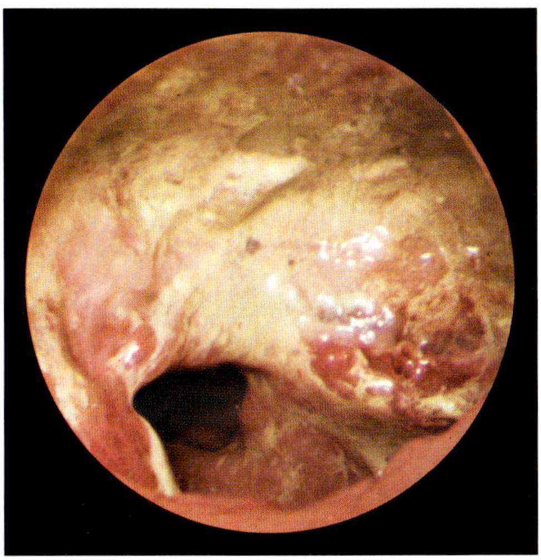

5

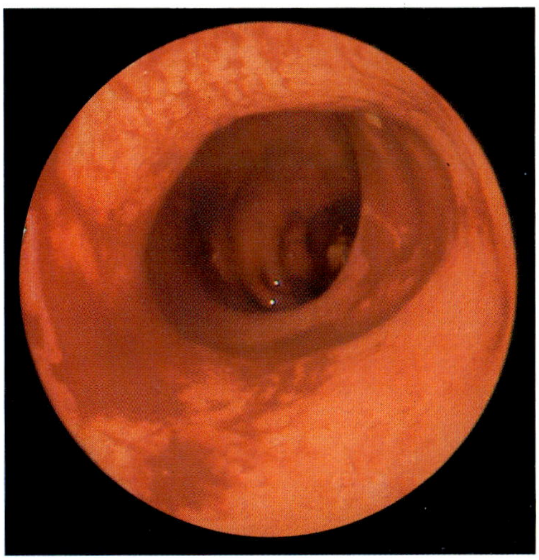

6

Tafel X/1–6

Infektiöse Proktitis

1 Infektiöse Entero-Colitis. Es bestehen herdförmige Blutungen, die Gefäßzeichnung ist aufgehoben. Ein spezifischer Erreger konnte nicht gezüchtet werden, 5 Tage später war die akute Durchfallserkrankung ohne besondere Therapie wieder abgeklungen, die Schleimhaut wieder normal.

Amöbenruhr. Bei einem soeben aus Persien zurückgekehrten Urlauber bestanden blutig-eitrige Durchfälle:

2 diffuse Proktitis mit aufgehobener Gefäßzeichnung, Blutungsneigung und

3 eitrigen Belägen, in denen Amöben nachgewiesen wurden (Pfeil).

4 u. 5 Im oberen Rectum finden sich neben allgemein entzündlichen Veränderungen umschriebene punktförmige Abscesse.

6 Amöbom. Der Patient wurde zur Operation eines Carcinoms in die Chirurgie überwiesen. Die Biopsie des Tumors ergab jedoch einen entzündlichen, Amöben enthaltenden Tumor, ein *„Amöbom"*.

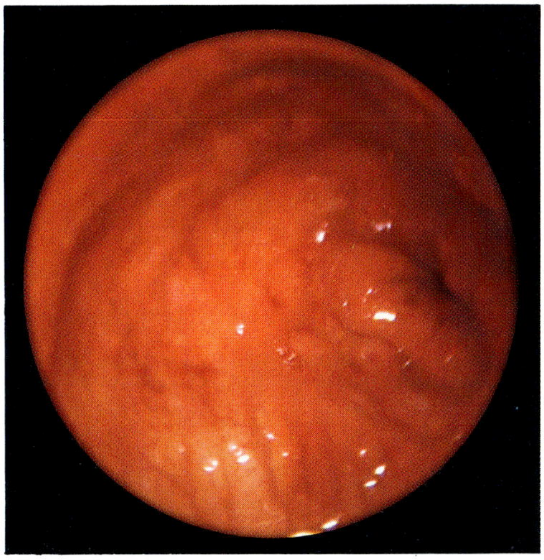
1

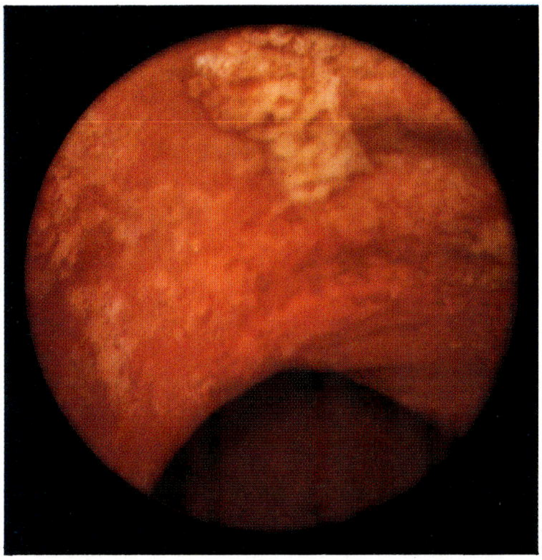
2

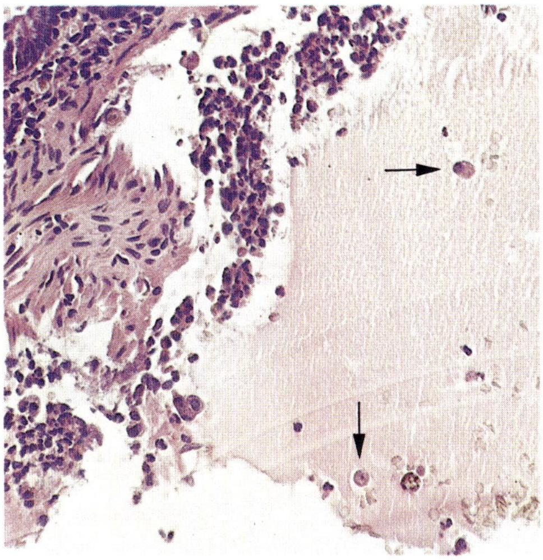
3

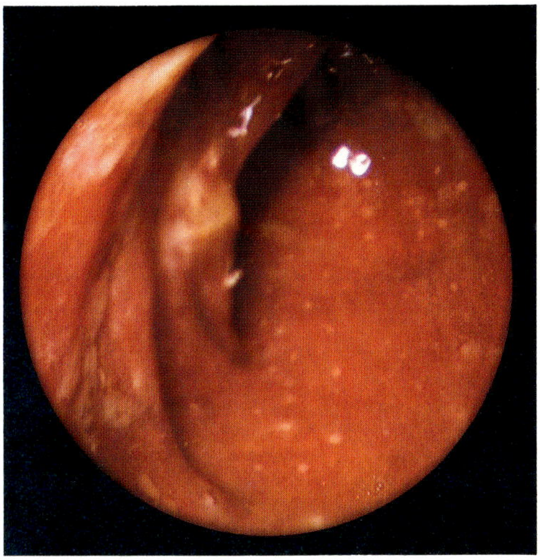
4

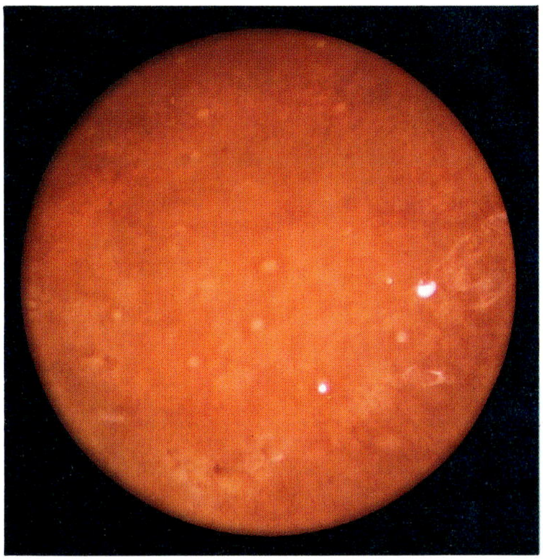
5

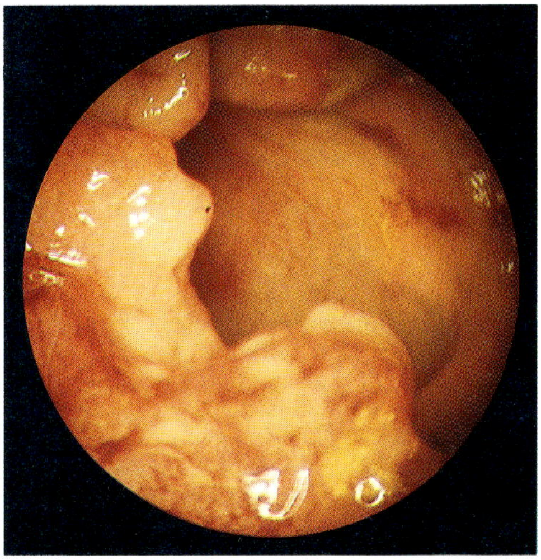
6

Tafel XI/1–6

1 Hämorrhagische „ulcerative“ Proktitis. Bei 9 cm findet sich ein abrupter Übergang von colitisch veränderter Schleimhaut mit vermehrter Verletzlichkeit, Rötung und Ödem in unauffälliger Schleimhaut mit normaler Gefäßzeichnung. Es handelt sich um die mildeste Verlaufsform der Colitis ulcerosa.

2 Aktive Colitis ulcerosa. Das akute Stadium. Die Oberfläche ist granuliert, die Schleimhaut düster rot. In diesem und in den folgenden Fällen bestanden als klinisches Leitsymptom blutig-eitrige Durchfälle.

3 Aktive Colitis ulcerosa. Die Kohlrauschsche Falte im Vordergrund ist ödematös geschwollen, es bestehen eitrige Beläge.

4 Aktive Colitis ulcerosa. Es besteht eine vermehrte Schleimhautverletzlichkeit, die hier mehr punktförmig, schon bei leichter Berührung mit dem Tupfer, auftrat.

5 Aktive Colitis ulcerosa. Die Blutung nach leichter Berührung ist in diesem Fall noch stärker ausgeprägt.

6 Chronische Colitis ulcerosa. Die Schleimhaut ist blasser als bei den vorherigen Fällen. Die Gefäßzeichnung ist aufgehoben, es sind schleimig-eitrige Beläge sichtbar.

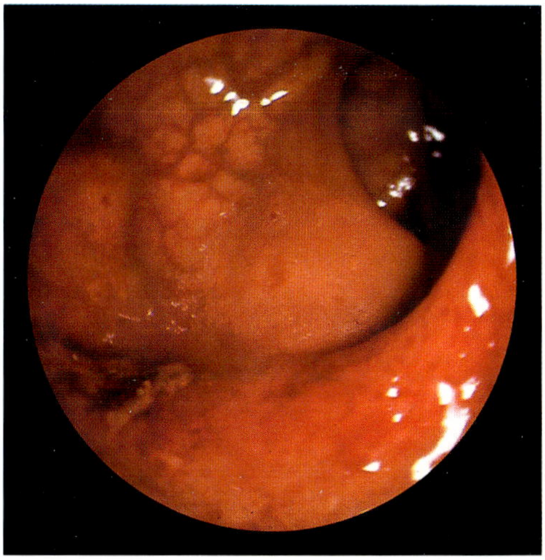
1

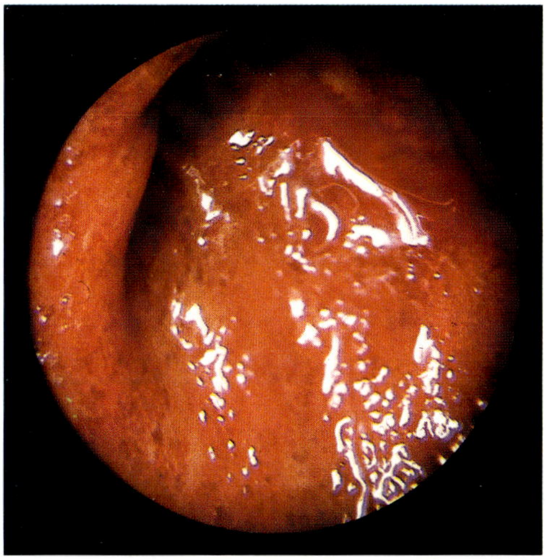
2

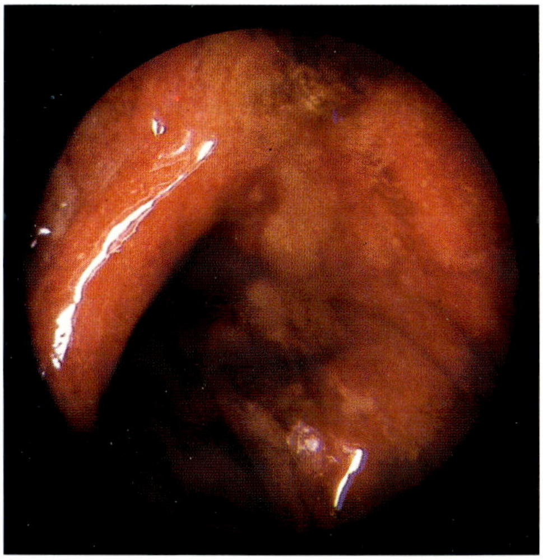
3

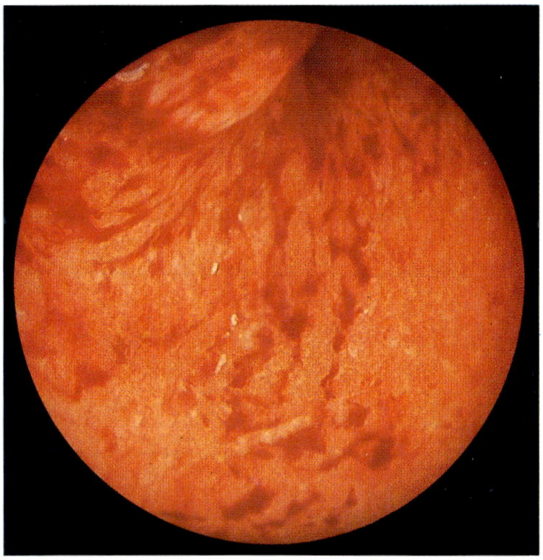
4

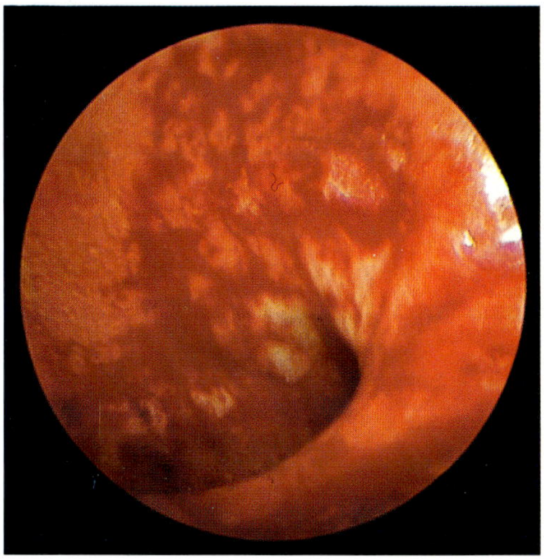
5

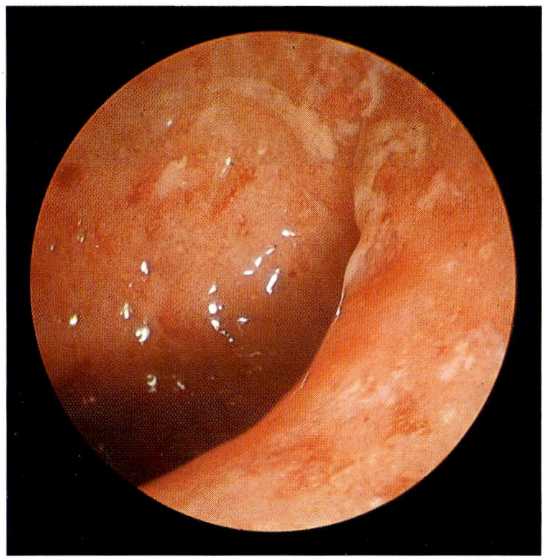
6

Tafel XII/1–6

1 Chronische Colitis ulcerosa in beginnender Remission. Das aktive Stadium ist unter Behandlung mit Salazopyrin und Prednison abgeklungen. Die vermehrte Verletzlichkeit besteht noch weiter, die Gefäßzeichnung ist noch aufgehoben. Subjektiv war die Patientin beschwerdefrei: der Stuhl war geformt, die blutig-eitrigen Beimengungen wurden nicht mehr bemerkt.

2 Colitis ulcerosa in Remission. Die normale Gefäßzeichnung ist teilweise wieder sichtbar, die Struktur ist jedoch gering fleckförmig verändert.

3 Pseudopolypen. Aus der Schleimhaut ragen größere und kleinere polypoide Schleimhautinseln in das Darmlumen hervor. Sie sind teilweise von eitrigen Belägen bedeckt.

4 Pseudopolypen. Bei dieser „ausgebrannten", ruhenden Colitis ragen die Schleimhautinseln aus der atrophischen Schleimhaut als Pseudopolypen heraus.

5 Pseudopolyp bei exacerbierter Colitis ulcerosa

6 Proktitis terminalis simplex, ödematös verdickte Schleimhaut, vermehrt gerötet mit Ulcus.

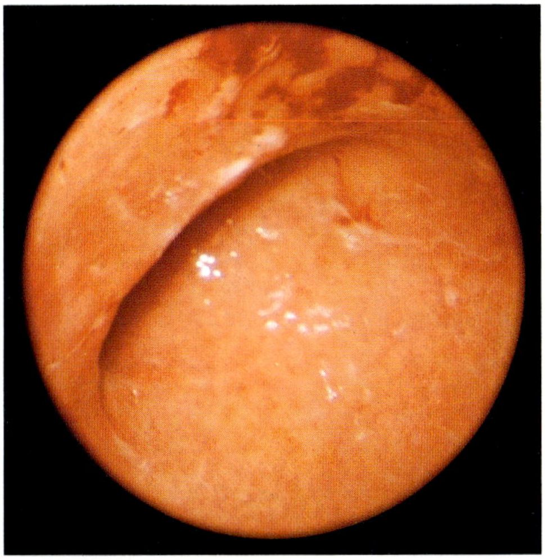
1

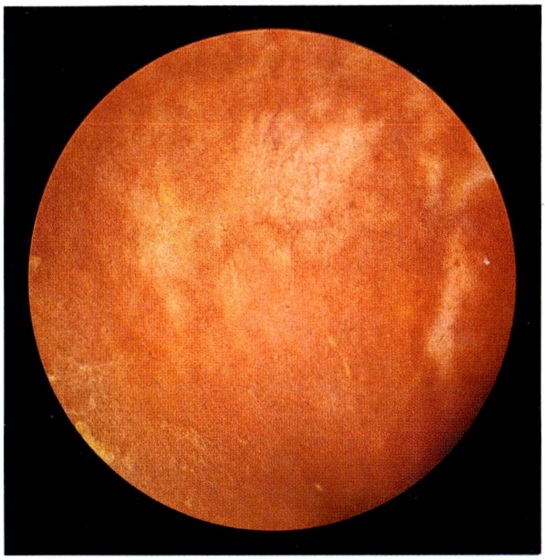
2

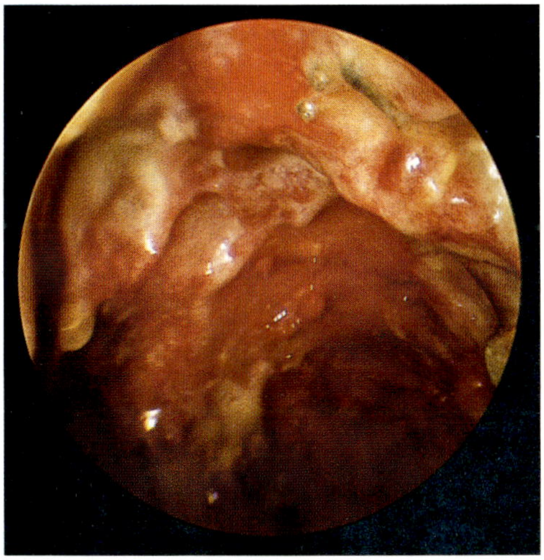
3

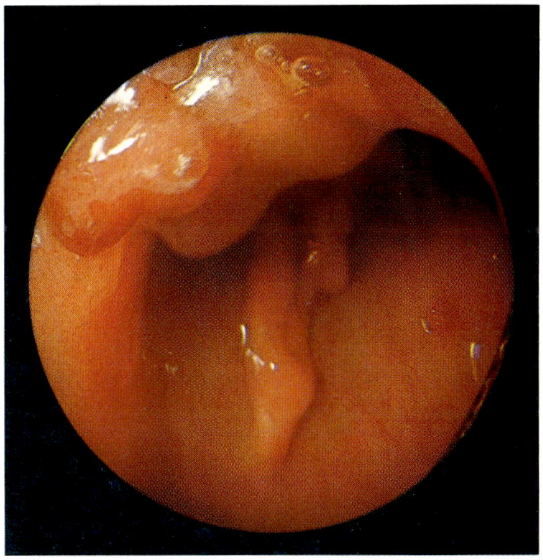
4

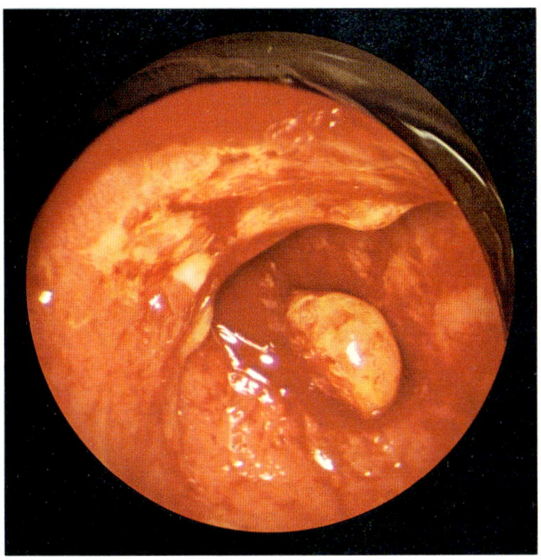
5

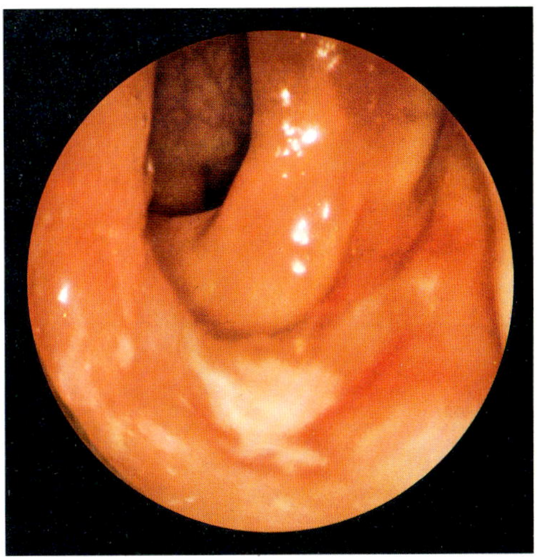
6

Tafel XIII/1–6

1 Aphthenähnliche, umschriebene Läsionen in einer sonst normalen Schleimhaut. Diese Veränderungen können als Frühveränderungen bei M. Crohn auftreten. Sie sind röntgenologisch nicht zu erfassen. Sie sind jedoch nicht Crohn-spezifisch und können bei Allergien und bakteriell-entzündlichen Colitiden auftreten.

2 M. Crohn des Rectums. In einer normalen Schleimhaut finden sich ausgestanzte, tiefe Ulcera an der rechten Darmwand.

3 M. Crohn des Rectums (gleicher Fall wie Tafel XIII/2). Es imponieren longitudinale, tiefe Ulcera in einer wenig veränderten Rectumschleimhaut. Klinisch bestanden Durchfälle ohne Blutbeimengungen. In der Biopsie waren Epitheloidzellgranulome mit Langhansschen Riesenzellen nachweisbar.

4 M. Crohn des Rectums. Es ist die Nahsicht auf ein Schleimhautulcus bei M. Crohn dargestellt.

5 Solitäres Ulcus bei M. Crohn. An der Basis einer Falte besteht ein weißlich belegtes, unregelmäßig begrenztes Ulcus als einzige Manifestation eines M. Crohn. Die Diagnose wurde durch eine Biopsie aus diesem Bereich gestellt.

6 Foudroyant verlaufender M. Crohn. Im Vordergrund ziehen 2 tiefe, mit Eiter gefüllte Ulcera in die Tiefe. Nach einer Latenz von ca. einem halben Jahr, in der eine therapieresistente Analfissur einzige Manifestation der Erkrankung war, kam es plötzlich zu einem akuten Ausbruch mit Befall des gesamten Colons.

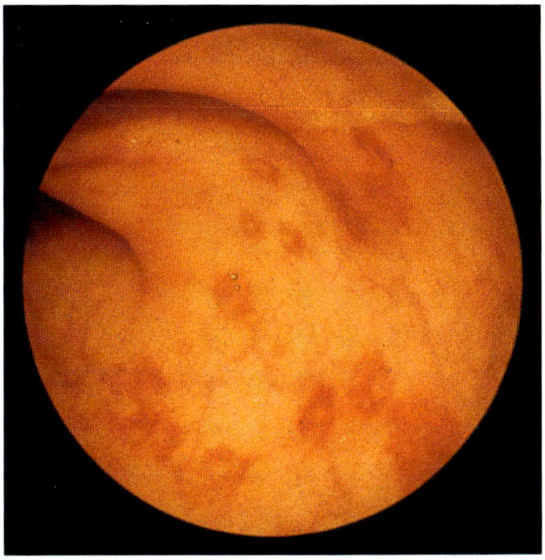
1

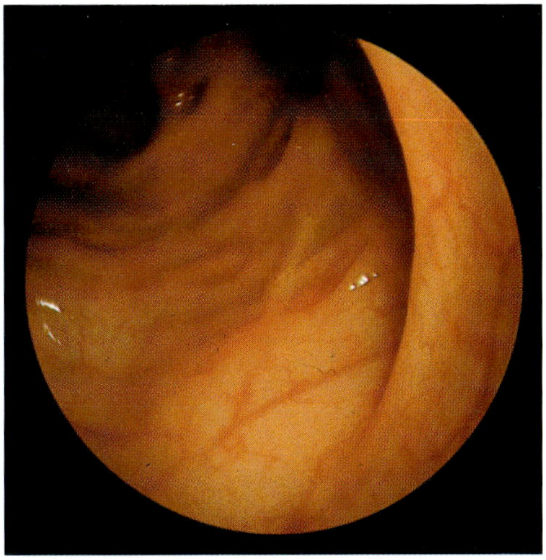
2

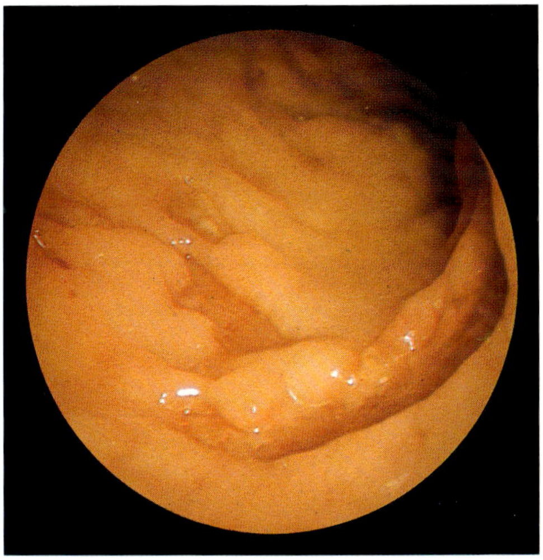
3

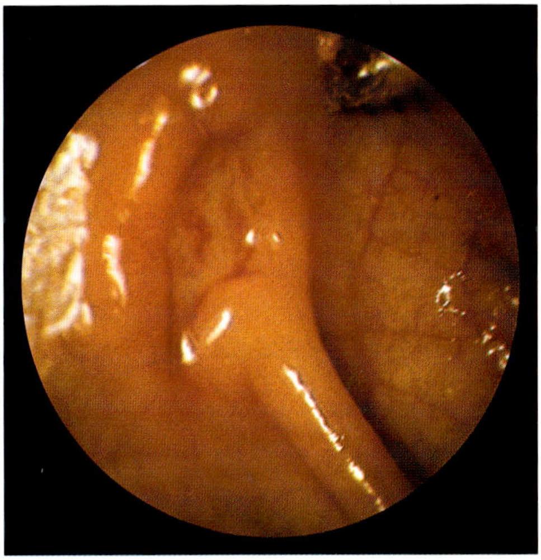
4

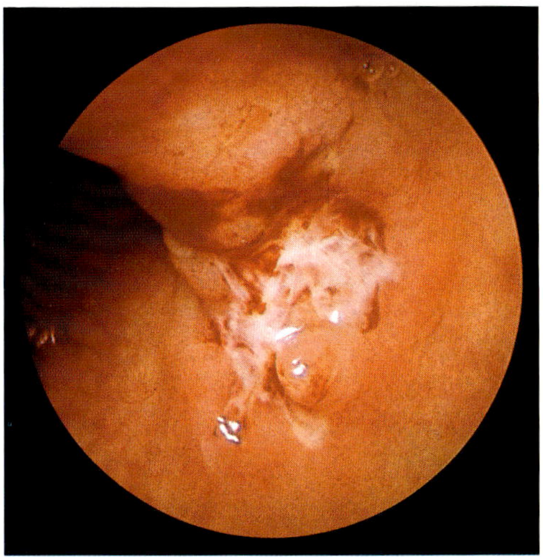
5

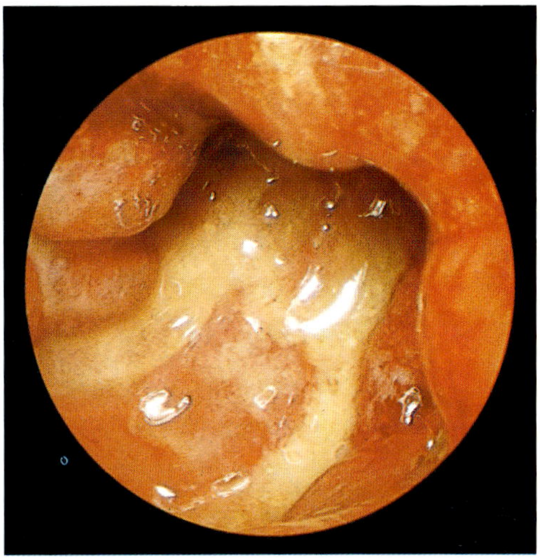
6

Tafel XIV/1–6

1 Anastomose nach Ileo-Rectostomie bei M. Crohn. Im Vordergrund ist der Anastomosenwulst sichtbar, der entzündlich gerötet ist. Im weiteren Verlauf kam es zu einer Stenosierung der Anastomose und einer Ausweitung des M. Crohn über den gesamten Dünndarm.

2 „Kopfsteinpflaster"-artiges Schleimhautrelief. In diesem Fall war das Rectum ausgespart, die Schleimhautveränderungen waren nur coloskopisch sichtbar.

3 Pseudomembranöse Colitis nach langdauernder peroraler Antibiotica-Medikation. Die „Membranen" verschwinden nach Beseitigung der Noxe (Unterbrechung der Medikation). Vergleiche Tafel XIV.4: ähnliche Bilder, differente Genese.

4 Ischämische Colitis, zunächst imponiert ein Bild mit weißen Schleimhautnekrosen, später entwickelt sich ein Befund ähnlich der Colitis ulcerosa.

5 Reizloses Sigmadivertikel. Eindrucksvoll ist der Blick in den Divertikelsack. Divertikel sind rectoskopisch so gut wie nie zu beobachten.

6 Wulstige Faltenformation, Darmwandverdickung mit beginnender Stenosierung als Folge einer Diverticulitis.

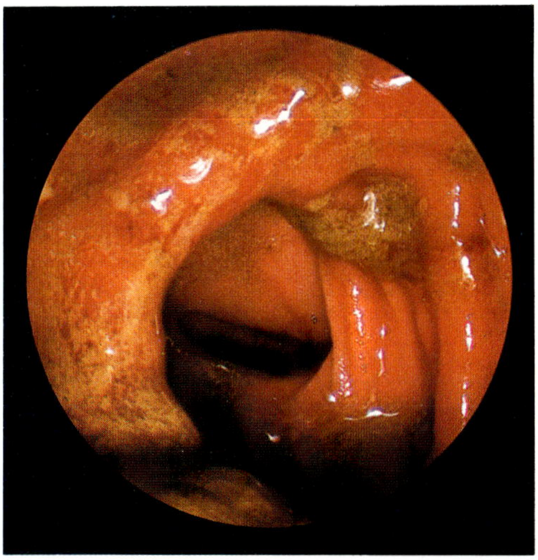
1

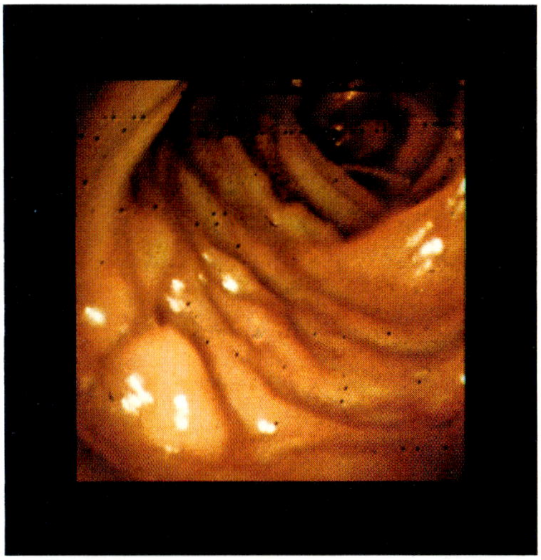
2

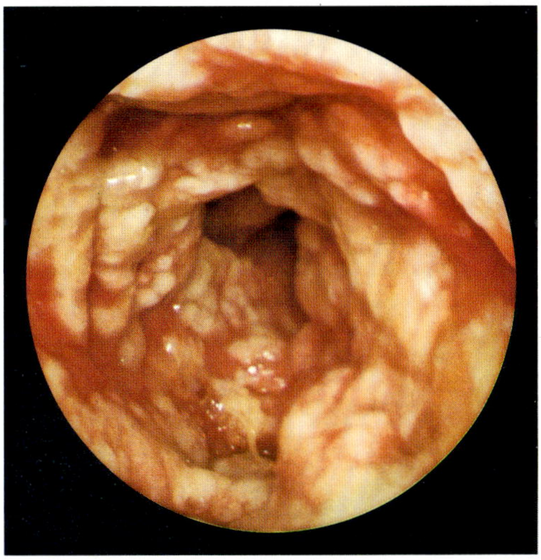
3

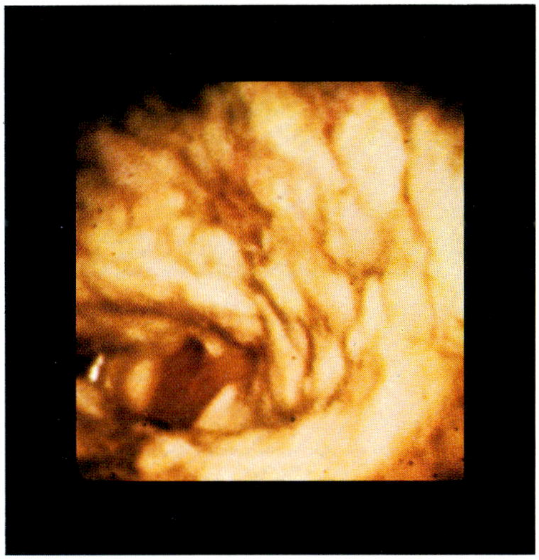
4

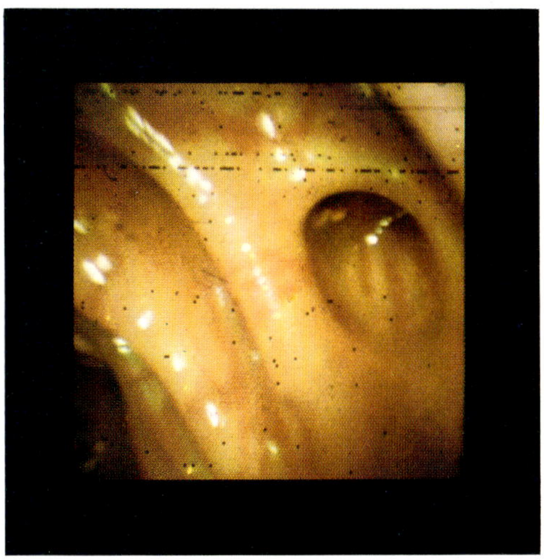
5

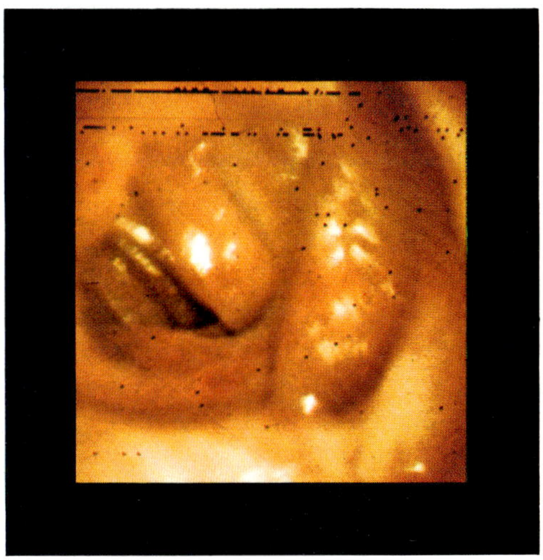
6

Tafel XV/1–6

1 Hyperplastisch reaktiver Polyp („Polypensprosse“).

2 Papilläres Adenom mit besonders ausgeprägter oberflächlicher Gefäßfiederung.

3 Gestieltes papilläres Adenom im Rectum.

4 Zustand nach Elektroresektion mit der Hochfrequenzdiathermieschlinge, breite Nekrosezone an der Abtragungsstelle, ausreichend belassener Stielrest, genügender Sicherheitsabstand zur Darmwand.

5 Breitbasiges, erbsengroßes papilläres Adenom im Rectum.

6 Zustand nach Elektroresektion des Adenoms (Tafel XV/5), halskrausenartige Nekrosezone mit zu tiefer Abtragung, cave: Gefahr der Perforation im Colon, bei Rectumhinterwandlokalisation noch tolerabel, weil keine Perforation bei dieser Lokalisation möglich.

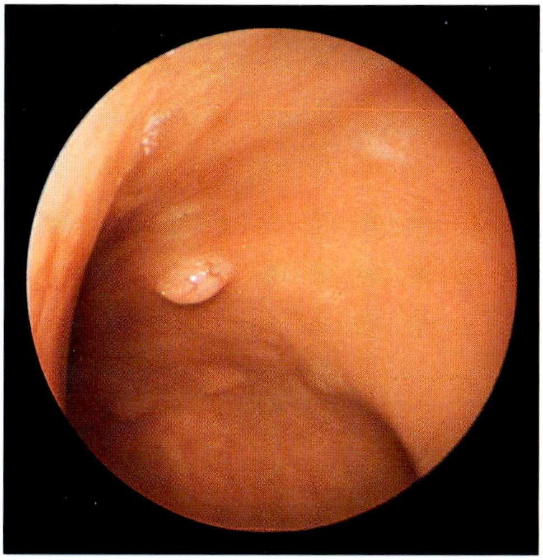
1

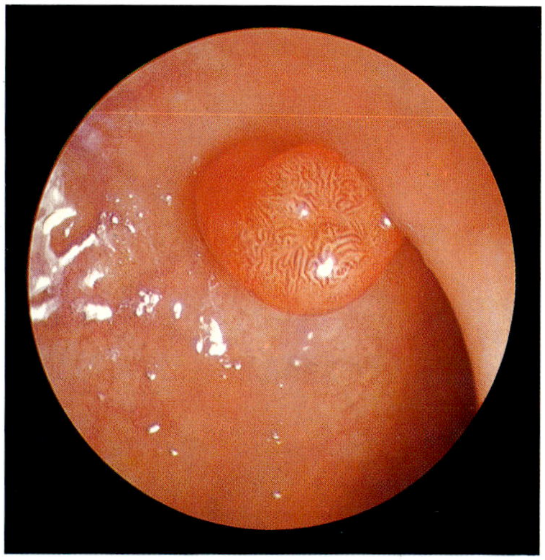
2

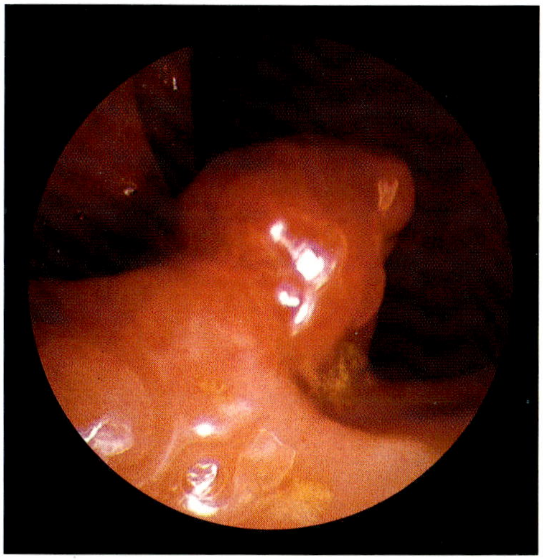
3

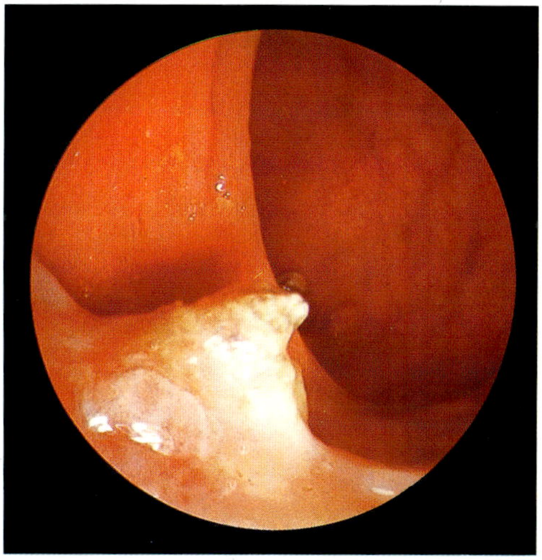
4

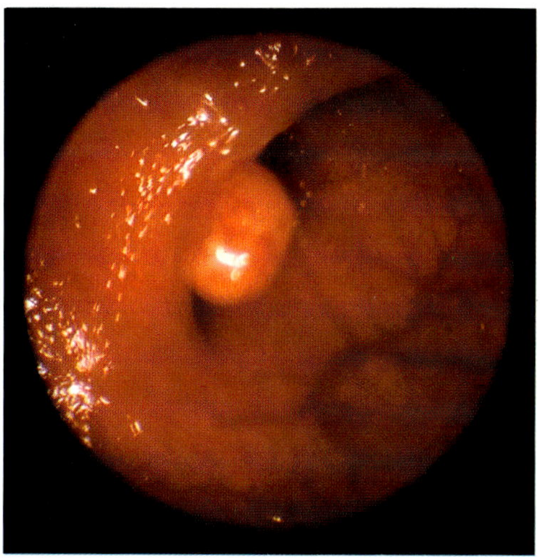
5

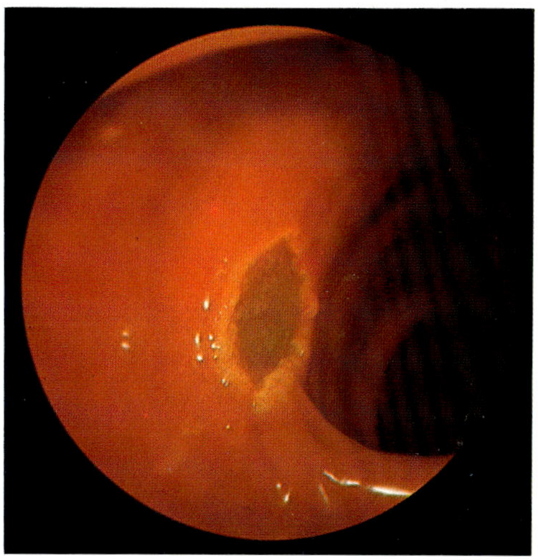
6

Tafel XVI/1–6

1 Großes, gestieltes papilläres Adenom im Rectum mit focalem Carcinom, glatte Oberfläche, Stuhlreste.

2 Pflaumengroßes, gestieltes papilläres Adenom mit focalem Carcinom, pflastersteinartige, unregelmäßige Oberfläche.

3 Villöses Papillom im Rectum, rasenartige Anordnung, bei Betastung mit der PE-Zange weich und schwammig, fingerförmige, schleimige Oberfläche. Bei Palpation samtartig.

4 Geborgener, mittels Hochfrequenzdiathermieschlinge ektomierter gestielter Polyp aus der linken Colonflexur, gelappter, zerklüfteter, unregelmäßig begrenzter Polyp (papilläres Adenom). Stiel durch Coagulation weißlich verfärbt.

5 u. 6 Pneumatosis cystoides. 28jähriger Patient, vor 2 Jahren Blut im Stuhl. Rectoskopie: Hämorrhoiden, Kontrasteinlauf normal. Vor 1 Jahr zunehmend Blähungen, Völlegefühl sowie Blut und Schleim im Stuhl. Endoskopisch imponierten die Vorwölbungen als Polypen (XVI/5), beim Zuziehen der Diathermieschlinge bildeten sich submucös Luftblasen. Nach Abtragung des „Polypen“ bleibt ein schlüsselförmiger Hohlraum zurück (XVI/6). Der auch röntgenologisch sehr eindrucksvolle Befund besserte sich deutlich unter 8tägiger Sauerstoffbeatmung.

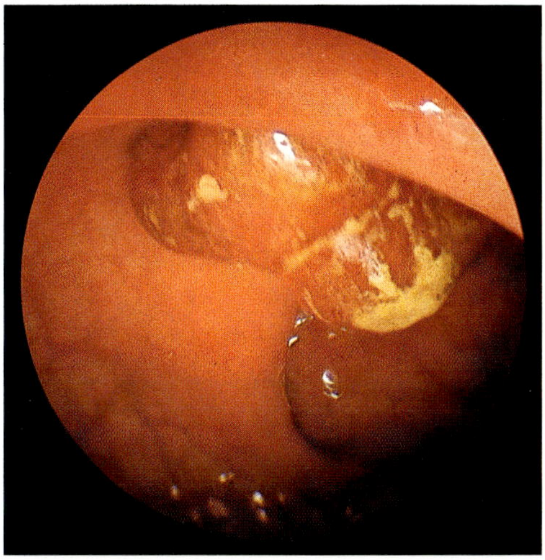
1

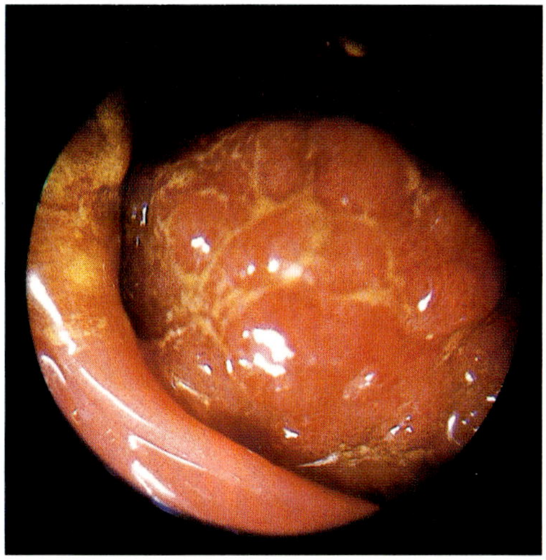
2

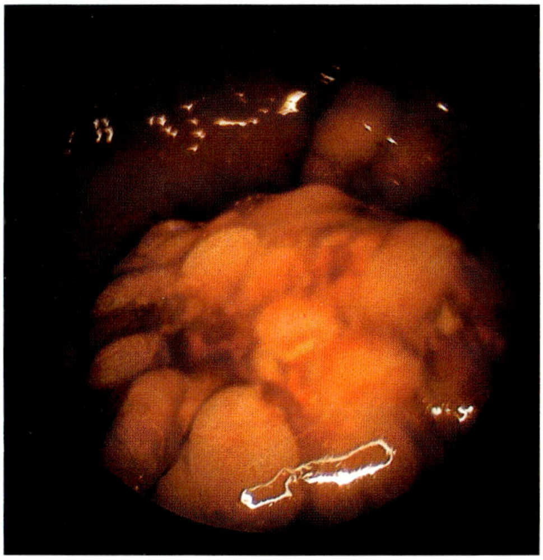
3

4

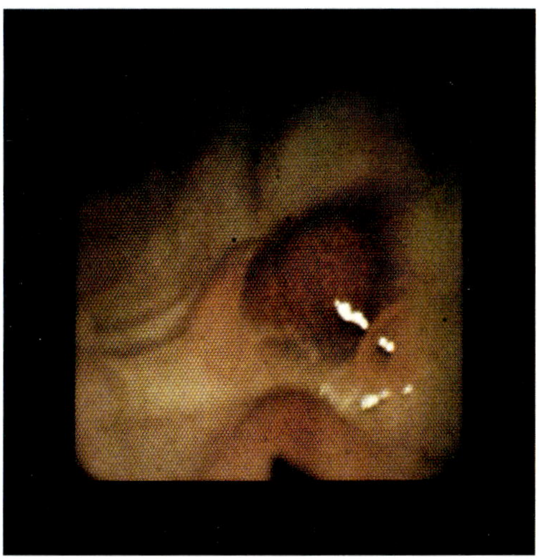
5

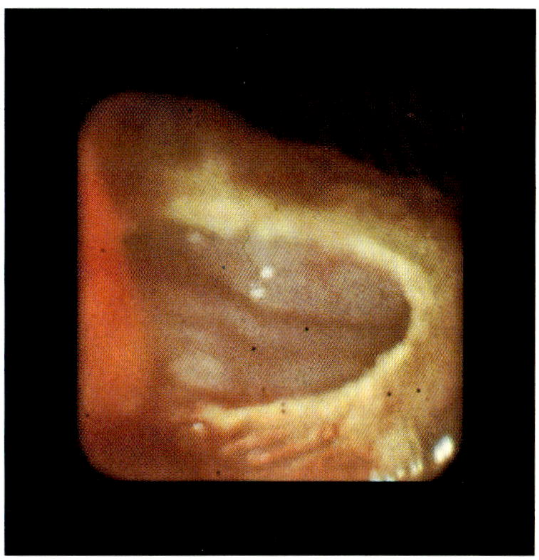
6

Tafel XVII/1–6

1 Familiäre Polyposis im Rectum, multiple, aber einzeln stehende papilläre Adenome unterschiedlicher Größe, teils sessil, teils gestielt.

2 Maligne entarteter Polyp (Vordergrund) bei familiärer Polypose. Im Hintergrund sind noch einige kleine Polypen sichtbar.

3 Familiäre Polyposis, dicht an dicht stehende sessile Polypen (Polypenrasen).

4 Colon-Resektionspräparat des in Tafel XVII/3 gezeigten Rectums.

Peutz-Jeghers-Syndrom

5 Typische Pigmentfleckbildung an beiden oberen Augenlidern und im Bereich der Nasenwurzel.

6 Typischer Peutz-Jeghers-Polyp mit zweigartiger Fiederung.

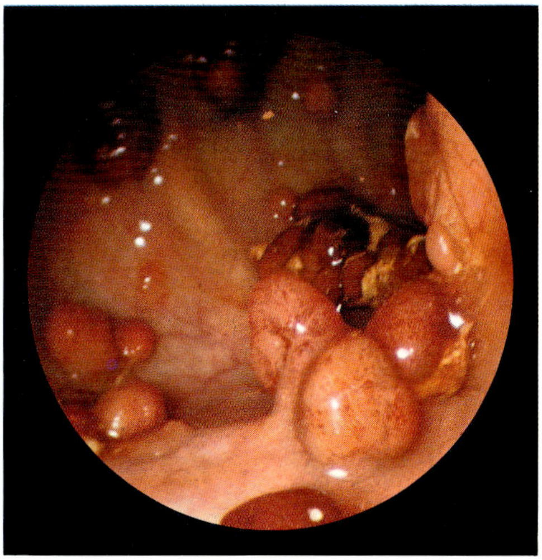

1

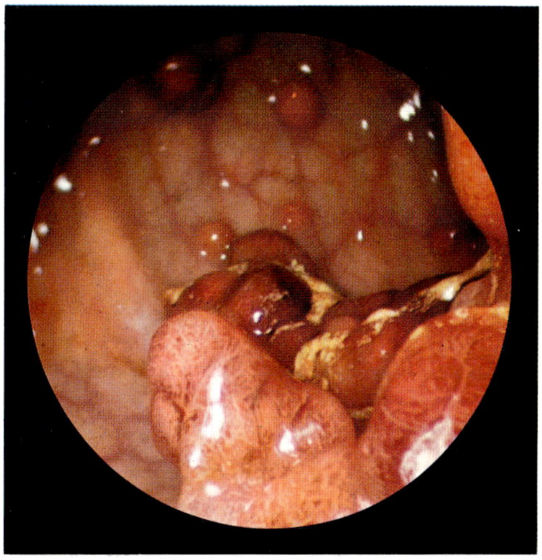

2

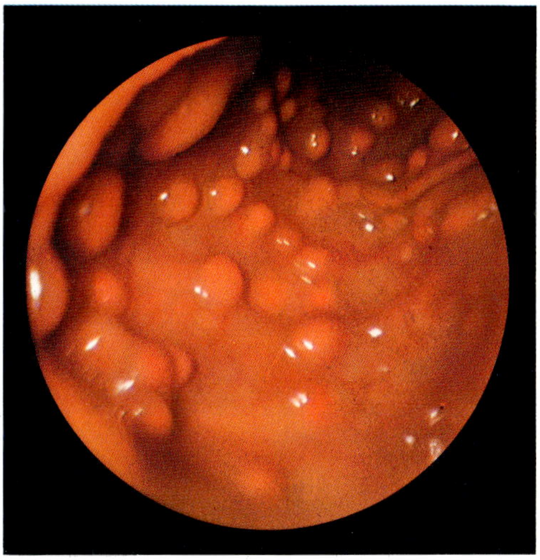

3

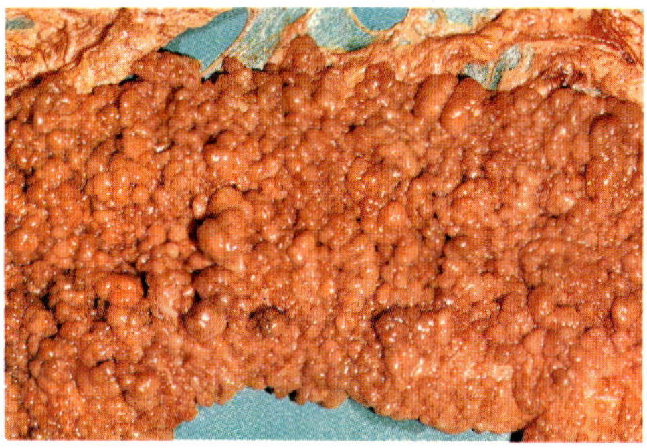

4

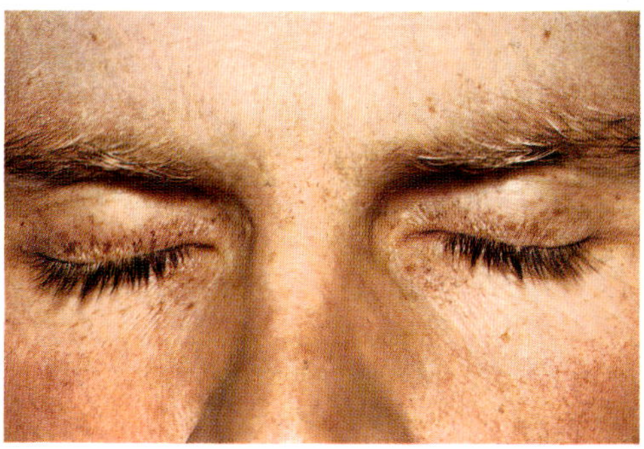

5

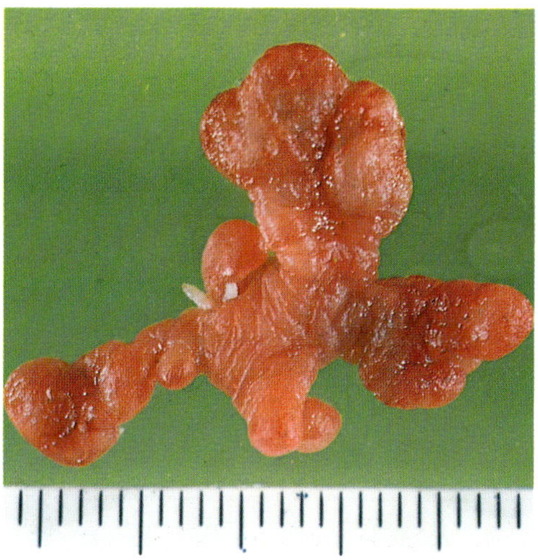

6

Tafel XVIII/1–6

1 Polypoid wachsendes, zerfallendes Rectumcarcinom mit großer Nekrosezone und deutlicher Blutung.

2 Zirkulär stenosierend wachsendes, blutendes Rectumcarcinom.

3 Coloskopisch diagnostiziertes kleines, auf die Wand beschränktes Carcinom im Colon ascendens.

4 Ins Rectum einwachsendes Rezidiv eines Genitalcarcinoms. Makroskopisch nicht von einem polypoid wachsenden Rectumcarcinom zu unterscheiden.

5 Infiltrat im Rectum bei Brill-Symmers-Krankheit (großfolliculäres Lymphoblastom).

6 Leukämisches Infiltrat im Rectum bei chronisch lymphatischer Leukämie.

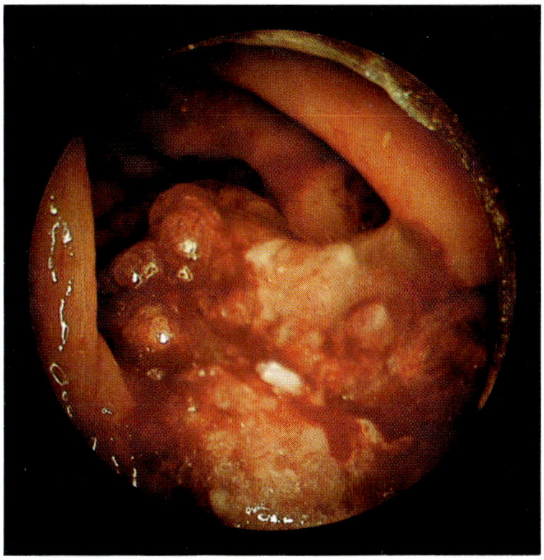
1

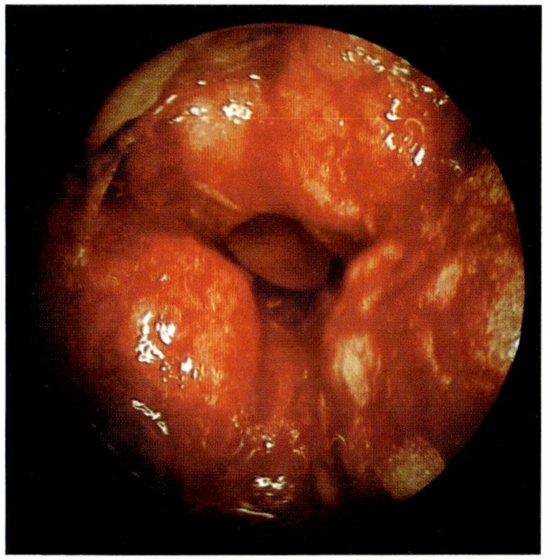
2

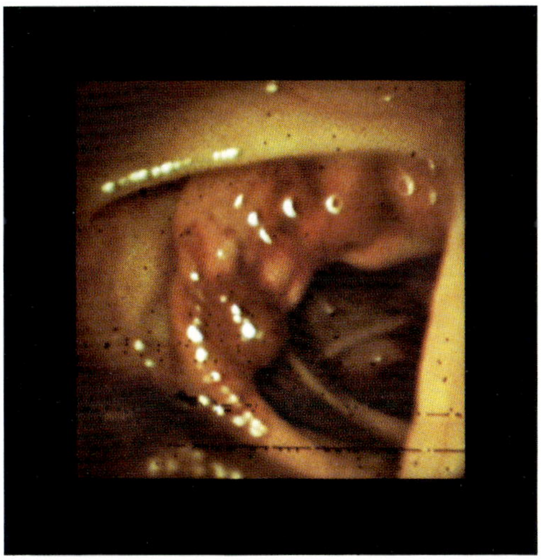
3

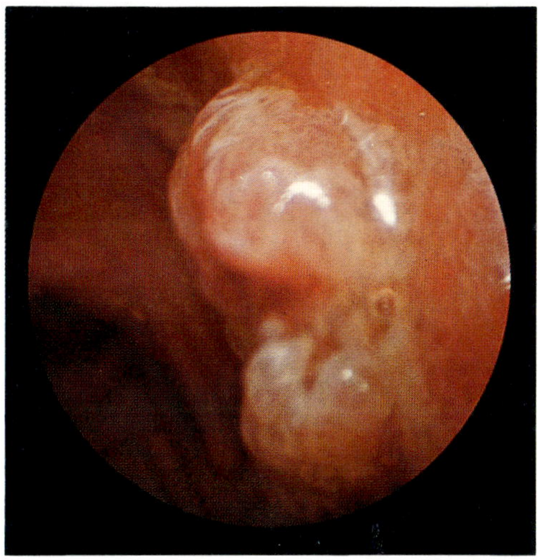
4

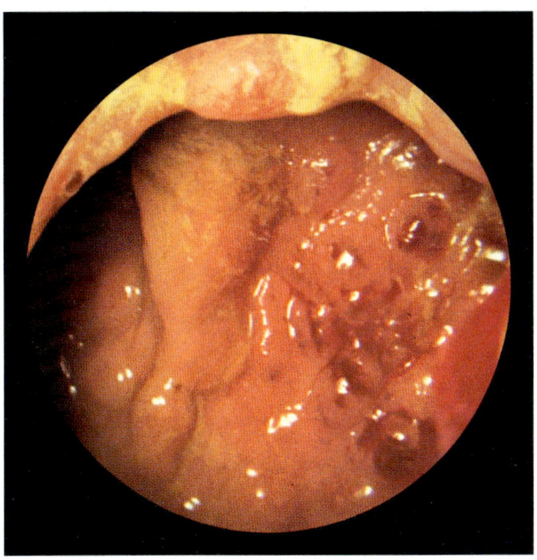
5

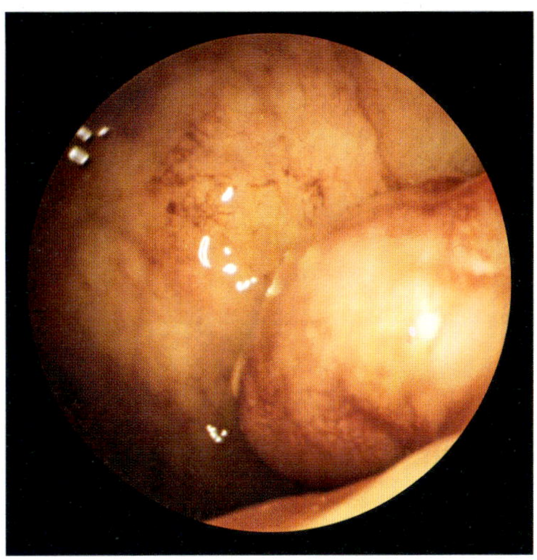
6

Tafel XIX/1–6

1 Solitäres Rectumulcus. Histologisch entzündliche Veränderungen, kein M. Crohn.

2 Rectum-Blasen-Fistel bei bestrahltem gynäkologischem Carcinom. Schmierig-eitrige Beläge bei Granulationsgewebe an der Rectumvorderwand.

3 Als einzige Manifestation des M. Crohn nach Ileo-Transversostomie bestand eine recto-vaginale Fistel, wobei Luft und Stuhl durch die Vagina abging. Digital war der Defekt unmittelbar hinter dem Sphincter (im Bild unten) tastbar.

4 Blindsack von ca. 6 cm Länge (rechts), 18 cm oberhalb des Anus. Es handelte sich um eine Ausschaltungsoperation vor 27 Jahren (Coeco-Sigmoidostomie) wegen Ileus mit späterer Rückverlegung.

5 Reste von Teerstuhl im Rectum.

6 Ein Madenwurm (Oxyuris, Enterobius vermicularis) im Rectum.

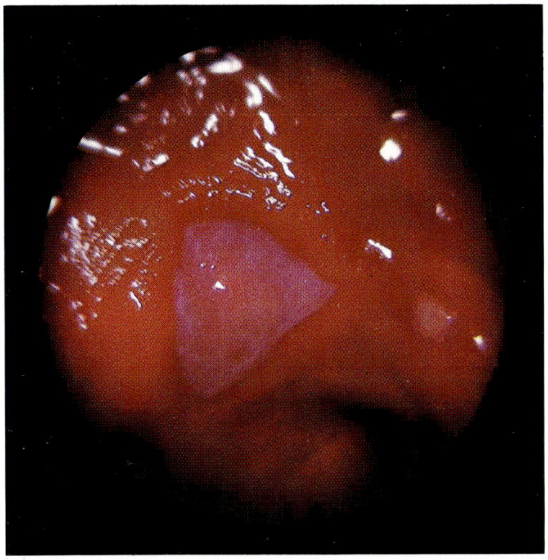

1

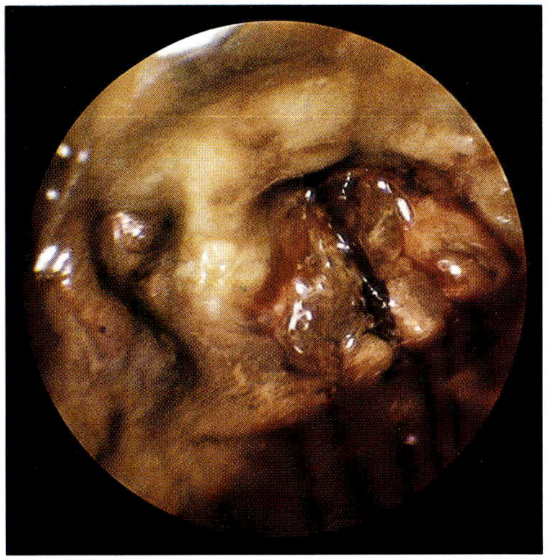

2

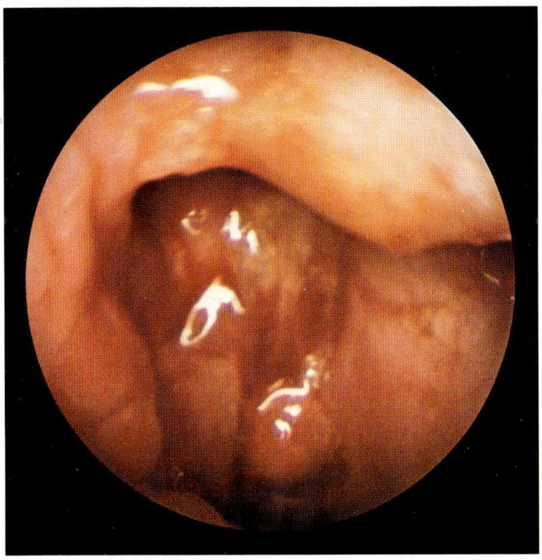

3

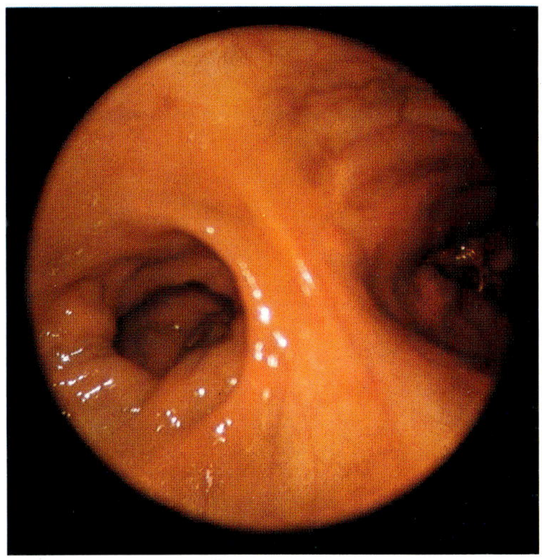

4

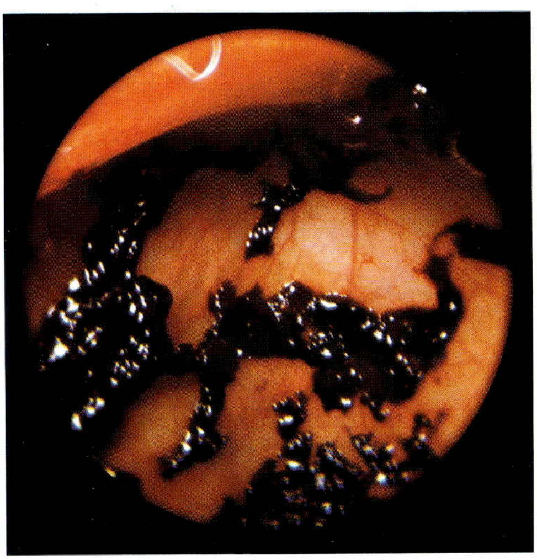

5

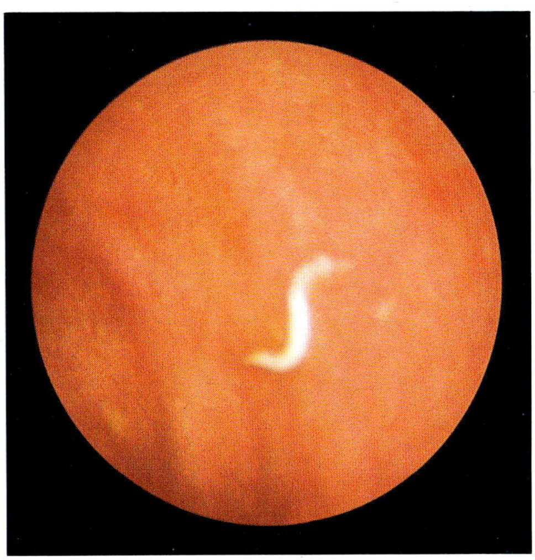

6

Sachverzeichnis

Seitenzahlen, die sich auf die Bildtafeln beziehen, sind *kursiv* wiedergegeben